昭和喫茶に魅せられて、819軒

47都道府県104のお店から情緒の記録

平山 雄

303BOOKS

［はじめに］

タイムスリップ感を味わえる
内外装に魅せられて

　日頃から僕は、昭和の面影が残る場所へ足を運んでいます。そんな中でよく訪れるのが、いろいろと思い入れのある喫茶店です。

　初めて喫茶店に入ったのは、70年代末の小学5年生の時。当時、世の中は空前のゲーム「スペース・インベーダー」ブームで、僕も毎日のように高田馬場駅前にあるゲームセンターへ通っていました。ですが、大人たちは一度ゲーム台に座ると、コインを塔のように積み上げ何度もくり返しプレイするので、なかなか席が空かないのです。

　そんなある日、しびれを切らしてお店を出ると、たまたま近くにあった喫茶店のドアが開き、お客さんが出てきました。そして、なんの気なしに店内へ目を向けると、奥にゲーム筐体（きょうたい）が見えたのです。僕は反射的に入店しました。それまで、喫茶店に入ったことなど一度もありませんし、そもそも喫茶店がどんな場所なのかもよく知りませんでした。ですが、ゲームをやりたいという激しい欲求が、そうさせたのです。それが、僕にとっての喫茶店初体験でした。

　学生になってからも、学校帰りは仲間と毎日のように"サテン"に入り浸っていました。それには、ゲームのほかにタバコが吸えるという理由もあったのですが、当時の威勢のいい若者の間では、それが当たり前の遊び方だったのです。現在、純喫茶は若い女性にも人気となっていますが、昭和時代、

特に僕が知っている80年代は、そういった若者たちの利用者が多かったです。

　その頃よく利用した喫茶店は、電車通学の乗換駅だった渋谷に集中していました。たとえば、ハチ公広場の向かい側にあり深夜営業もしていた、純喫茶チェーンの「マイアミ」、センター街にあったウッディなボックス席の「木馬」、そして、ラウンドした大きなカウンター席が特徴的だった、国道２４６沿いの「グリーン」などです。それらはすでに現存せず、情報すらほとんど残っていませんが、当時のことは長い年月が経過した今でも、記憶の中に鮮明に残っています。そういった体験が今の活動のバックボーンにあり、原動力になっているのです。

　喫茶店の魅力は、経営者のお人柄や、提供される味も欠かせない要素ですが、僕の活動はタイムスリップ感を味わうことが前提となるため、内外装の魅力を重視しています。昨今は、掲載許可が取れないケースが増えていて、本書においても載せられない店が多かったのが非常に惜しまれますが、OKが頂けた範囲で、すでに閉店してしまった幻の名店を含め、特に印象に残っているお店をご紹介します。

◇　目　次　◇

このQRコードで、
本書の告知サイトへ！

◇　CONTENTS　◇

◇ 目 次 ◇

◇　CONTENTS　◇

◇ CONTENTS ◇

◇ 目 次 ◇

探訪104軒
全350カット

すでに廃業や取り壊しなどによってなくなっているお店もありますが、
リアルな記憶として残しておきたく、執筆時ではなく、
訪問した時点でのレポートとして記しています。

1 純喫茶 ドール

ツヤツヤなチェアにビニールのウサギちゃん

日中なのに薄暗く、シーンと静まり返った店内。年月を経て焦げ茶色に変化した板張りの壁や、60'sカリモク調のツヤツヤなカフェチェア。入店した時は、ホントに時空のズレのようなものを感じました。

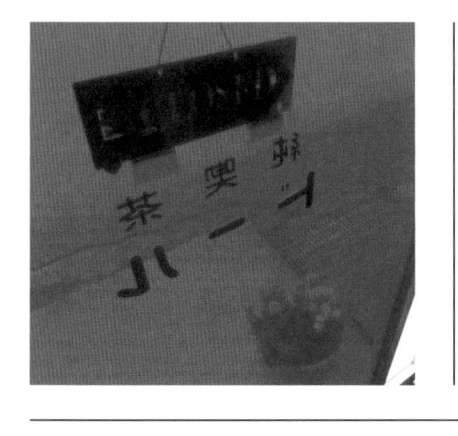

昭和時代の店舗によく用いられたアクリルドアの色には、青やオレンジなどのバリエーションがありますが、中でも紫色はアダルトなムードを演出してくれるため、個人的に大好物です。カウンターの奥にある食器棚には開業時から使い続けていると思われる、ヴィンテージなグラスやコーヒーカップが丁寧に並べられています。空気ビニール人形のウサギちゃんは、何年ここに座っているのかな？ 店頭に掲げられた店名の筆記体文字が、時代を感じさせます。訪問したのが閉店直後だったようでシャッターが半分下りていたのですが、ママさんが僕のためにわざわざお店を開けてくれました。ママさんは、会話の合間にハミングをする、とってもカワイらしい方でした。

2

喫茶 軽食 ミカド

上下が逆のアーチ窓と二段天井の間接照明

これほどまでにキュートな外観の喫茶店を、僕はほかに知りません。アーチ窓って、たいていはR部分が上になりますが、逆さまのほうが断然カワイイなー。レースの絞りカーテンとの相性もピッタリです。

茶系で統一された店内。ストライプ模様の壁紙やリース柄のクッションフロアが、これぞ昭和喫茶といった感じ。鉢置きパーテーションにあしらわれた造花が、よりいっそうの昭和感を演出しています。二段天井に、間接照明が組み込まれているのがイイですね。こんなに凝った天井は、なかなかお目にかかれません。

3 ティータイム 嵯峨（さが）

茶色いタイルとガラスブロックのマッチング

創業は約40年前。若くて美人なママさんは3代目になるそうです。店内は、濃い青と白の壁紙が交互に張られ、モダンでクール。カフェチェアは背もたれが高く直角で、座ると姿勢が良くなる感じです。

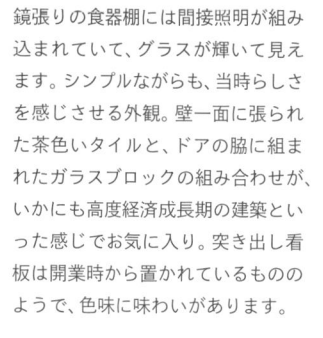

鏡張りの食器棚には間接照明が組み込まれていて、グラスが輝いて見えます。シンプルながらも、当時らしさを感じさせる外観。壁一面に張られた茶色いタイルと、ドアの脇に組まれたガラスブロックの組み合わせが、いかにも高度経済成長期の建築といった感じでお気に入り。突き出し看板は開業時から置かれているもののようで、色味に味わいがあります。

4 喫茶 セカンド

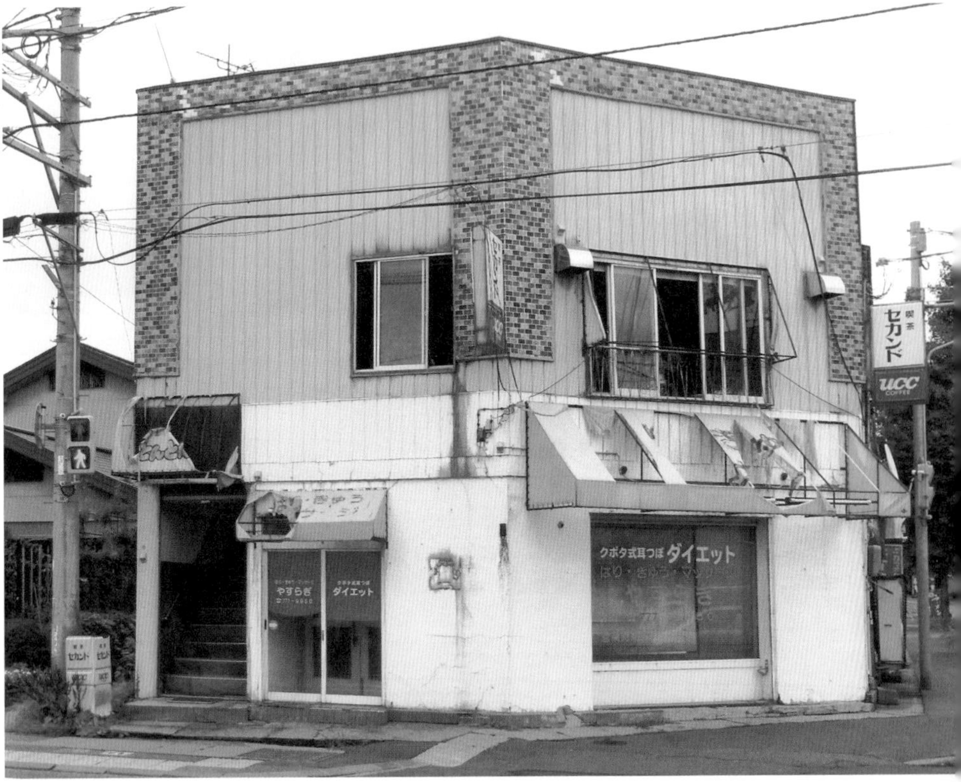

外観から想像できない
植物園のような店内!

日頃から喫茶を巡っていると、ありきたりのお店では物足りなくなります。あてもなく青森市内の筒井駅付近をドライブ中、そんな僕にピッタリの喫茶を見つけました。お店は2階のようですが、営業しているのかな？

見上げると、開いた窓から赤い花の鉢が見えます。つる草模様の窓手すりと花の絡みがとてもノスタルジックで、しばらく見とれてしまいました。店頭には電光看板が出してあるけど、ずっと外に置きっ放しのようにも見えます。パトランプも壊れちゃってますね。何はともあれ、ダメ元で、階段を上がってみましょう。すると幸い営業中のようで、入り口のドアが開いていました。店内には、驚くほど多くの鉢が飾られています。まるで植物園ですね。さっき、窓から見えた赤い花の鉢は、チェアの背もたれの上に置かれていました。落ちたりしないのかな？（汗）　テーブルがすべてゲーム筐体なところが嬉しい。花を眺めながら、トースト＆ホットコーヒーのモーニングセットを頂きました。

5 珈琲 フォーション

**山の形に
揃っている
電光看板と
窓がポイント**

開業は50年ほど前になるそうです。座面が分厚いカウンターチェアがお気に入り。カウンターの側面には傾斜がついているため、足がぶつかりにくく座りやすい。ママさんの、内装への強いこだわりを感じます。

外観は、ドアの位置が少し奥まっていることによって、壁が斜めになっているのが大きな特徴。店頭に置かれた電光看板の形が、窓と同じように上部がすぼまっているのもポイントです。ファサードを縁取るように張られたレンガは、凹凸をつけて組まれていて凝っています。朝食に、パンに野菜やハムが添えられたものを頂きました。

6

喫茶 チビ

証明された「市役所前に昭和喫茶アリ」の定理!?

4 連になったアーチ窓がステキです。屋根の部分も、おかっぱ頭のようでカワイイなぁ。お店の正面には市役所があるのですが、役所の近くに昭和喫茶がある確率が高いのは、青森でも同じですね。

店内一番の見どころでもある窓際席。裾が絞られた白いレースのカーテンや楕円形（だえん）の大きなテーブルが、アーチ窓と相性よく絡み合っています。背柱がろくろ加工された木製チェアも品があってステキ。カウンターに吊るされたペンダントライトはシェードが6面ガラスになっていて、切り子の模様が入っています。

7 軽食と喫茶 ロマン

雑多なカウンター奥に懐かしのかき氷機!

店名の入った電飾看板にひと目惚れ。文字の色使いや手作り感が、たまりません。雑多なカウンターの奥には、幼い頃にお祭りなどで見かけた覚えのある、業務用の電動式かき氷機が置かれています！

創業は40数年前。団体客用のL字形ソファの座面には、赤いビニールテープによる補修歴がたくさんあります。こういった部分は、お店の長い歴史や日常が感じられて、とても愛おしい。店内は10人も入れば満席になるほどの小さなお店ですが、天井にはゴージャスなシャンデリアが吊るされていて、高級感もあったりします。店頭の電光看板は、手作業で作られた一点物。よく見ると、文字の形がフリーハンドなところに味わいがあります。アクリル板の色が退色しているのも、お店を長く続けられていることの証しですね。外観は、ミントグリーンの装飾テントに真っ白なドアといったポップな色合いでカワイイです。ママさんは"スナック寄り"のオープンな方でした。

8　こぅひいの店 やちよ

**びっしりと
落書きされた
板張りの壁が
昭和感！**

こ　こは秋田駅前の
裏通り。行き当
たりばったりで入店し
たので何も知らなかっ
たのですが、今月中に
閉業されるとのことで、
なんだか複雑な心境で
す。でも、現役のうちに
訪れることができたの
は幸運でした。

これには驚きました。奥の板張りの
壁には、びっくりするほどたくさん
の落書きがされています。これも1
つの昭和の形と言えるかもしれませ
んね。使い込まれたテーブルやチェ
アに歴史を感じます。お店はビルの
2階にあるのですが、1階の入り口
には大きなサンプルショーケースが。
パフェやハンバーグのロウ細工の色
褪せ具合がそそります。

9 コーヒーショップ サンボ

朽ちたいい味の店名…補修テープだらけの椅子…

街道に面した壁には、木材で作られた店名が掲げられています。漢字の「紫」のように組まれたカタカナのロゴは、非常にデザイン性が高く見応えアリ。経年劣化でかなり朽ちていますが、それも味です。

3連アーチになった食器棚。上部のルーバーから間接照明の明かりが漏れている感じがステキです。カウンターチェアは大きくて座り心地も抜群。背もたれの肘掛けに巻かれた補修テープや、カウンターの擦れ具合にも風格を感じます。このお店で一番苦い「マラゴジペ」を頂きました。

10 喫茶 アキバ

仙台市最古の喫茶店を訪れたら1週間前に閉業……

仙 台市最古の喫茶店。黒と茶が交互に置かれたモダンな木製チェア。壁には「棟方志功」の原画が飾られています。入店するまで気がつかなかったのですが、1週間前に閉業されたそうで、びっくりです。

創業は昭和41年。店内の明るさは控えめ。照明器具はカウンターに吊るされたナショナル製の黄色いペンダントライトのみです。窓際にあるテーブル席は、窓の下にあるガラスブロックから日差しが入るため、イイ塩梅の雰囲気です。壁には、いたるところに飛行機や自動車のポスターが。きっと、数年前に亡くなられたというマスターが乗り物好きだったのでしょう。ママさんが「ウチのコーヒーは美味しいのよ」と、長年使い込んだサイフォンを見せてくれました。コーヒーを味わえないのは残念ですけど、たくさん話ができて良かったです。建物はスタンダードなモルタル造りで、壁にはぎっしりと絡まった枯れたツタが。側面に張られたテント看板が時代を感じさせます。

11 コーヒー＆スナック ラーク

田舎らしさ満点の一軒家スナック＆喫茶

せ り出した屋根に掲げられた店名、庇テント（ひさし）の中から溢れる照明の灯り。なんて大人の雰囲気なんだろう。入店すると、バーテンダーの装いをしたパンチパーマのマスターが迎え入れてくれました。

創業は40年以上前。店内は、開業時から何も変わっていないそうです。カウンターの食器棚に設置されたブラックライトが、薄暗い店内に、よりいっそうのアダルト感をもたらしています。分厚いガラスシェードのペンダントライトもカッコイイ。ホットコーヒーと、福島の名物菓子「ままどおる」を頂きました。

12 COFFEE モア

紫色に染まる
店内が
美しすぎて
倒れそう

こ れほどまでに色彩感覚の優れた内装は、めったにお目にかかれません。白い壁に、紫色のアクリルドア。そして、背もたれがパンパンに膨らんでる黒いチェアに青色のカーテン。すべてが完璧な配色です。

外観は、入り口のドアが少し奥まっているため、白い壁に重厚さを感じます。左右にあるアーチ窓もシンプルで、70年代の雰囲気が全開。照明の明るさが最小限に抑えられているため、ドアからほんのり差す光によって店内が紫色に染められています。もう、美しすぎて倒れそうです。それにしても、いわき市にはいい昭和喫茶が多いなぁ。

13 COFFEE ROOM ボナンザ

瓦屋根をテントで完全に隠して洋風に！

とてもユニークな外観です！　一見、大きな屋根に見える部分は、じつは装飾テントなのです。瓦屋根をテントで隠し、洋風の建物のように仕上げる斬新なアイディア。これを考えた人、天才ですね。

横から見た様子。これは「看板建築」ならぬ「テント建築」ですね。そんな言葉はありませんけど（汗）テントは半立体になっていて、芸が細かいです。レースのカーテンと照明が白で揃えられ、とても清潔感のある内装。天板が大理石調のテーブルも相性がイイです。ママさんは、キレイでやさしい方でした。

純喫茶 富

14

ベンツが目印！ レアな曲線のカウンター

またの名を「BENZ-103」と言うようです。「103」は「とみ」と読めますね。その名のとおり、建物の右手にあるガレージには、60年代物と思われる黒のカッコイイ「縦目ベンツ」の姿があります。

ラウンドしたカウンターが特徴の内装。チェアも開業時から使われているもののようで、背もたれが高い珍しいタイプです。ホットコーヒーを注文しましたが、カップ＆ソーサーにベンツ設立当初のホロ付き自動車のイラストがプリントされていました。電飾看板に描かれた線画のメニューがカワイイ。

15 喫茶 珈琲 マツ

映画にも使われたお店の
2階席からの眺めに酔う

2階席から見下ろした店内は圧巻の眺め。これほどまでにスケールの大きな上下階の昭和喫茶は、ほかに見た覚えがありません。カウンター上に位置する、上部が反っている壁も衝撃のデザインです。

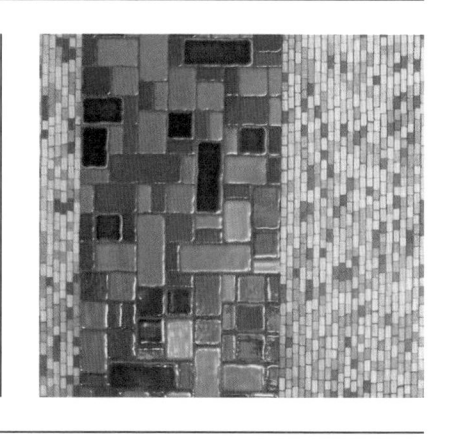

チェアの色は緑・茶・白の3色があり、ランダムに配置されているのがオシャレ。壁のブラケットライトが低い位置にあるのも珍しく、新鮮です。壁には一面に、ツヤのないモザイクタイルが張られていて、そこにツヤありのタイルで1本のストライプが組まれています。この広い店内に、タイル1枚1枚を人の手で張っていったのかと思うと、その

技術と根気に頭が下がります。2階から見下ろした1階席がカラフルで美しい。シンプルな外観からは店内の様子が想像できないので、入店した時の衝撃が大きいです。ここで映画撮影があった際に、役者さんが食べるパフェを作るためにスタッフが専門の料理人を手配したらしいのですが、結局こちらのマスターのパフェが採用されたとか！

16 コーヒー＆軽食 さかえ

ウッディな内装に独特な細工の銅版製照明

銅板を透かし彫りした、円すい形のペンダントライトがステキです。茶色を基調としたウッディな内装の店内。テーブル席のスペースは板張りの塀に囲われているため、人目が気にならず落ち着けます。

店内が少し寒かったので、ママさんがストーブを席まで運んできてくれました。ストーブも上に乗った赤いヤカンも長年使い込まれたもので、イイ味が出ています。チェアは、背もたれのうしろにもクッションが張られた高級なもの。外観にも木材が多用されています。看板テントも、昭和喫茶らしくてイイですね。

17 甘味 喫茶 富士屋

まるで和菓子屋！ 創業70年超えの超老舗

一見、持ち帰り専門の和菓子屋のように見えますが、じつは売り場の奥に大きな喫茶室があるのです。建物の上部を見ると、ファサードの奥に立派な瓦屋根が見えるので、どうやら看板建築のようです。

開業は、なんと戦後間もない昭和25年。店内は、外観からは予想もつかないほど落ち着いた雰囲気で驚きました。ランプ型の4灯シャンデリアは、当時、ご主人が自ら秋葉原で購入されたものなのだそうです。チケット（食券）売り場の電飾は消えていたのですが、撮影のためにご主人がわざわざ点けてくれました。

18　軽食＆コーヒー マロニエ

角Rの3連食器棚
天井から連続アーチ

こだわり抜かれた内装に感激です！ 間接照明が組み込まれた角Rの3連食器棚、天井から下がる連続アーチ、全面に張られた大きな花柄の壁紙など、店内のどこを眺めても退屈な場所がありません。

照明器具などインテリアの1つ1つにも、強いこだわりを感じます。スペースエイジ*な黒のペンダントライトは、かなりのレア物なんじゃないかな？ 日差しによってレースのカーテンにふんわりと浮かび上がる、アーチ窓の丸い輪郭もステキです。オレンジ色の球体照明やベルベットのチェアの絡みも絶妙。窓際席の床はほかのスペースに比べて少し高くなっていて、緑色のクッション張りの塀が高低差を仕切っています。外観は、R処理された上部の塀や立体になった太い窓縁によって、全体がどっしりとした印象。店名のフォントも、お店のイメージにぴったりで、お気に入り。関東有数の温泉地でもある鬼怒川にあり、観光がてら立ち寄るのにうってつけのお店です。

[＊註]1960~1970年代に生み出された宇宙開発的デザインの呼び方。

19 カフェテラス 摩耶

レンガ屋根が ハマっている 山小屋 ロッジ風

四万温泉の山奥という立地にふさわしい、山小屋ロッジ風の建物。レンガ色の大きなトタン屋根がステキです。木製のメニュー看板が凝っていて、和風の屋根から「珈琲」の文字が入ったカップが下がっています。

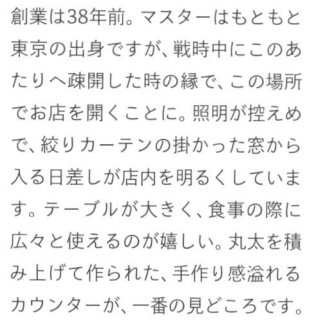

創業は38年前。マスターはもともと東京の出身ですが、戦時中にこのあたりへ疎開した時の縁で、この場所でお店を開くことに。照明が控えめで、絞りカーテンの掛かった窓から入る日差しが店内を明るくしています。テーブルが大きく、食事の際に広々と使えるのが嬉しい。丸太を積み上げて作られた、手作り感溢れるカウンターが、一番の見どころです。

20

喫茶 富士屋

重要無形文化財に認定！（されてほしい…）

創業は昭和30年。年季の入った純和風な外観は、ぱっと見では食事処に見えます。ですが、店頭に掲げられている手書きのトタン看板には、しっかりと「喫茶 富士屋」と書かれているのであります。

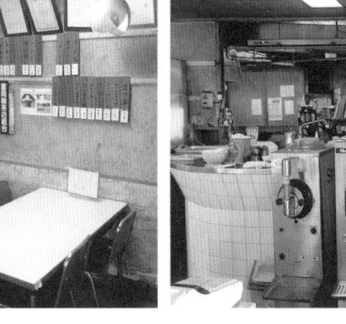

とはいえ、店内の雰囲気は食堂ですね。でも、壁に掛かった札をよく見ると「富岡喫茶店組合」と書いてある。やっぱり喫茶店か（汗）。近くの席のおばあちゃんたちが、ラーメンを食べながら「懐かしい味！」と言っていました。おばあちゃんが懐かしいと思うのですから、本当に昔ながらの味なのでしょうね。

21 喫茶 コンパル

スペーシーなデザインのチェアが見どころ

群馬県を代表する昭和喫茶の創業は、高度経済成長期真っ只中の昭和39年。スペーシーなデザインのチェアや、壁に張られた角Rの大きな鏡は昭和40年代的なので、開業当時としては最先端な内装だったはず。

「この時代の喫茶は、凝った造りのお店が多いですよね」と投げかけるとマスターが、「昔の喫茶のマスターは、みんな内装へこだわりを持っていたからね。今の店はどこも同じに見えるよ」。内装の中で特にお気に入りなのが、ツートンのチェア。同じ形のものは他店でもたまに見かけますが、オレンジ色の座面は希少です。白と臙脂色が交互に置か

れたカフェチェアは背もたれが高く、ステッチの入り方もY字になった珍しいパターンで、ヴィンテージ物だとひと目でわかります。角丸サッシの窓越しに見る店内が近未来的でカッコイイ。外の看板に描かれている女性のステキな横顔は、マッチ箱の絵柄にもなっています。お店はビルの2階にあり、階段横のペイントも素晴らしいです。

22

喫茶 デコ

ひっそり佇む 6畳ほどの スモール喫茶 の落ち着き

今までに入った昭和喫茶の中で、もっとも小さなお店。広さは6畳くらいで、シックな色合いの小ぶりなカウンターのほかに、テーブル席が2つしかありません。オレンジ色の照明もムード満点です。

ドアを開けた瞬間、思わず「カワイイ！」と声を出すと、ママさんがありがとう〜」と笑顔で。開業から45年、今でもホットコーヒーは300円とかなり良心的な設定額ですが、当初は1杯80円だったそうです。「前に改装しようと思ったことがあるんだけど、常連のお客さんがこのままのほうが落ち着くって言うから、そのままにしてるの」

23 フルーツパーラー ポポ

ツヤツヤの チェアの赤は 今の製品 にはない色

青色の３連庇テントが、昭和らしさ全開です。ガラス窓の下部分に張られた青系のタイルと、オレンジ色のアクリルドアの組み合わせも完璧ですね。看板に汽車の絵が描かれているけど、店名は汽車ポッポから？

内装も、開業時からほとんど変わっていないようです。ツヤツヤのチェアは昭和40年代モノかな？　色も現代の製品にはない赤色で、当時感がハンパじゃないです。雑多なカウンターは昭和喫茶によく見られる光景。自分の机もそうなので共感できます。メロンジュースは、さすがフルーツパーラーの味でした。

24 COFFEE 再会

また、銀皿に載ったトーストを味わいたくて

開業は1965年頃。東松山市内でもっとも古い喫茶店です。近頃、駅前は大規模な再開発によって昭和時代の街並みが失われつつあります。ですが、ここは開発エリアからぎりぎり逃れ、営業を続けられています。

店内はＬ字形になっているため、外観から想像するよりもはるかに広いです。ですが、奥の天井が大きく傾いてしまっているなど、老朽化が深刻な状態です。自宅から近いこともあってたびたび利用していたのですが、訪れたある日、ママさんからとても残念な知らせを受けました。近いうちに、とうとう閉店することになったと……。早朝にこのお店で食べるトーストとアイスコーヒーは格別の味です。銀皿に盛り付けられているとタイムスリップ感がさらに増して、気分も盛り上がります。つる草模様のついたては、ほかで見た覚えがない貴重なもの。閉店してしまう前にもう一度訪問したいと思ったので、「閉店の日が決まったら貼り紙で告知してくださいね」とお願いして、お店を出ました。

25 喫茶＆スナック サントス

伍代夏子さん もよく 歌っていた ステージ！

入り口脇の塀が奇抜です。ドアが開かなかったので入店をあきらめると、偶然、小学生の女の子が出てきました。「すみません、営業してますか？」「お母さん、お客さんだよ！」「どうぞ、いらっしゃいませ」

入店すると照明はすべて消えていましたが、ママさんがすぐに点けてくれました。そして「照明が素晴らしいですね」と話しかけると、無言で苦笑いしていました（汗）。赤紫色のカーテンが、アダルトな雰囲気を演出。奥にはカラオケ用のステージがあります。演歌歌手の伍代夏子さんが、まだ売れていなかった頃によく歌いに来ていたのだそうです。

26 カフェテラス ルポ

段差があり
物が置ける
大きな窓が
特徴的

全面板張りの店内には、山田照明のレアな照明が吊るされ、ミッドセンチュリーモダンな内装になっています。天板が大理石調のテーブルや、スマートなフォルムのチェアも絶妙な組み合わせです。

創業は昭和47年。このお店のマスコットキャラクター「ルーちゃんとポーちゃん」がカワイイです。コカ・コーラの看板は喫茶店でよく見かけますが、ロゴの上にある文字が「Enjoy」ではなく「Drink」なのは、昭和喫茶である証しです。カラフルな斜めラインや、フリーハンドでデザインされた店名ロゴが、いかにも当時らしくて気に入りました。

⟨27⟩ コーヒーショップ ツネ

総工費1億円！の高級感に圧倒されて

建築費は1億円！ 天井が板張りの連続アーチになっているのが美しい。凹凸のついたレンガの壁には、各アーチごとにブラケットライトが設置されていて、その灯りがレンガの立体感をさらに強調させています。

ママさんに詳しい話を伺いました。埋め込まれたスピーカーはビクター製の年代物で、訪れたビクターの社員の方も「今では珍しい」と驚かれていたとか。大きな看板は専門職人の手によるもので、制作費なんと2000万円だそうです！コーヒー1杯だけでは申し訳ないくらい、高級感のあるお店でした。

28 喫茶 クラウン

巨大な
シャンデリア
の周りには
螺旋階段
<ruby>螺旋<rt>ら せん</rt></ruby>

埼玉県を代表する喫茶。店内は2階建て。内装はゴージャス！ ぜいたくな気分を味わえます。ペンダントライトは、その形状から僕は「かぼちゃ」と呼んでいたのですが、ママさんもそう呼んでいるとか。

螺旋階段の場所は上まで吹き抜けになっていて、天井から巨大なシャンデリアが吊るされています。階段の踏み面が張り出して反り上がっているのがオシャレ。ゆるやかにカーブした、壁に張られている波模様のタイルにも目を奪われます。創業は昭和35年。外観は、シンプルながらも風格のある佇まい。角が丸くなった、ステンレス製のサンプルショーケースもステキです。

29 純喫茶 ミコノス

キャッチーな
赤壁と
丸いレンガの
キュートさ

内装は、すべてママさんのデザインによるもの。最初に照明を揃えて、そこから全体のイメージを広げていったそうです。ママさんも若い頃から喫茶が好きで、東京や埼玉をずいぶんと回られたそうです。

創業は1980年頃なのだそうです。山吹色の瓦屋根は、当時の流行。臙脂色の壁との組み合わせも、この時代ならではのカラーリングです。「純喫茶」と表記のあるお店は、知る限り埼玉県内に5軒しかありませんが、ここはそのうちの貴重な1軒。建物には、ママさんが経営する喫茶と、マスターが経営するテーラーが並んでいます。

30 喫茶＆スナック ニュー ポニー

「ニュー」が付くほど古い店！の予感的中

店名に「ニュー」が付くほど古い店だったりします。2階へ続く螺旋階段を上がると、予想以上の昭和な佇まいに大興奮！剝げ石が張られた壁に、R窓と青の装飾テント。これほど渋い喫茶は滅多にないです。

期待どおりの店内に感激。壁は全面が黒く、カーテンやチェアはベルベットで統一感が。金色の照明が高級感を演出し、じつにアダルトな雰囲気。カーペットは起毛素材なので、床を踏むと靴が少し沈みます。外の看板に喫茶の表記がありましたが、実質はスナックですね。自分より少し上の世代の夜遊びを、疑似体験できました。

31 コーヒー ランチ サントス

まったく凝ってないから逆にツボに入る

こんなに素晴らしい昭和喫茶がまだ都内にあったなんて！ 入店した瞬間、そう思いました。青色のアクリルドアや、レザーがパンパンに張ったヴィンテージチェア。もう、何から何まで理想的な内装です。

つる革模様の金物が装飾されたカウンターのペンダントライトがステキ。開業当時としては、特に珍しい内装ではなかったと思いますが、この普通さが逆に、懐かしくてツボです。外観はいたってシンプル。神戸の「ニューセブン」（P.120）などもそうですが、内装の素晴らしい喫茶に限って、外観が簡素だったりします。

32 喫茶 ヴィオレ

**究極の生活感
がレアで
それが不思議
に落ち着いて**

まるで"部屋"のような雑多な店内。カウンター周りには、新聞や雑誌など様々なものが積み上げられ、生活感が溢れています。お手洗い入り口のアーチに掛けられた珠のれんも、住まいっぽくて落ち着きます。

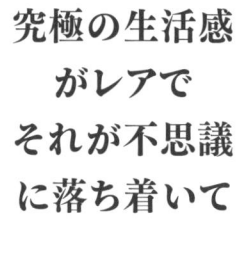

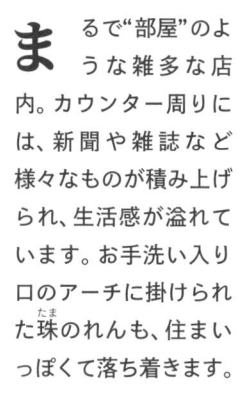

片側がRになったレジカウンターと、奥の丸窓の絡みがオシャレ。ピンク電話が、よりいっそうの昭和らしさを演出しています。ポップな色合いのレジスターも年代物。店頭には電飾看板がありますが、お店全体が高さのある草木に覆われているため、前を通っても存在にまったく気がつかないほど目立ちません。まさに、隠れ家的存在の喫茶です。

33 珈琲 バイオレット

**店名も
ロゴタイプも
ロゴマークも
歓楽街感が**

極端に長い装飾テ
ントや、剥げ石
で覆われた壁が渋い！
店名もロゴタイプもロ
ゴマークも、昭和時代
の歓楽街の空気を醸し
出す、じつに都会的で
大人の雰囲気。ペプ
シ・コーラの電光看板
も貴重です。

開業は昭和36年。当時この界隈には、
雀荘やパチンコ店が密集していたそ
うです。「このあたり一帯は、戦争で
も運良く焼けずに残ったのよ」とマ
マさん。ツヤのある緑色のチェアや
小ぶりな漆黒のテーブルなど、内装
はすべて開業時のまま。ヤニで黄ば
んだ壁に風格を感じます。透明に見
えるドアは、もとは流行りの黒でし
たが、年月を経て退色したのだとか。

34 珈琲 ボンナ

**珍しい形状の
ライトが店の
内外で効果的
な灯りに**

ミッドセンチュリーモダンな店内。壁やパーテーションは板張りで統一され、無駄のないスッキリとした内装です。バトンを組み合わせたようなデザインのブラケットライトも、とてもカッコイイー。

電球は丸いシンプルなものですが、配置によって不思議と凄くオシャレな印象に。ツキ板＊が張られた壁に電球が映り込み、幻想的でとてもキレイです。奥の壁は鏡張りになっていて、店内が倍の広さに見える工夫が。外観は一面ガラス張りで、外からでも店内がよく見えます。店内の明るさが控えめなので窓ガラス越しに見える照明の灯りが映えます。

[＊註]木を薄くスライスした板。

35 万定フルーツパーラー

昭和喫茶どころか戦前喫茶はまもなく100年！

創業は1915年頃で、なんともうすぐ100年！ この２階建ての見事な看板建築が建てられたのは昭和３年。カラフルな庇が昭和感全開でトキメキます。「震災や戦災からも運良く逃れたのよ」と、ママさん。

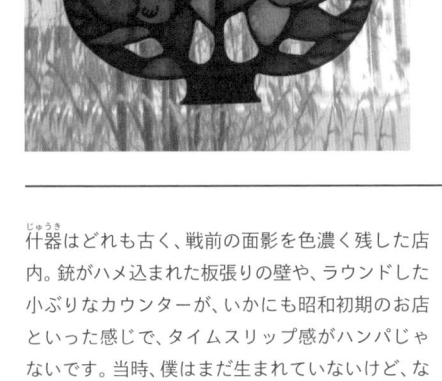

什器はどれも古く、戦前の面影を色濃く残した店内。銃がハメ込まれた板張りの壁や、ラウンドした小ぶりなカウンターが、いかにも昭和初期のお店といった感じで、タイムスリップ感がハンパじゃないです。当時、僕はまだ生まれていないけど、なぜか懐かさを感じるなぁ。そして、内装で特に目を引くのが、テーブルの脚。２本のアイアンがゆるや

かにカーブを描きながら、下へすぼまった非常に珍しいタイプです。座面がオレンジ色のラタンチェアと、ハイカラなタイルの床が、絶妙な組み合わせ。窓にはモールガラスが使われていて、花や小鳥などのカワイイシールがたくさん貼られています。まるで戦車のようなフォルムのレジスターは開業時から使い続けているもので、現役で活躍中です。

36 珈琲 エノモト

ガラスブロックと赤いスタンドが激ヤバ！

創業は1953年と、60年以上経っています。マスターは2代目で、内装はお父さんである初代マスターがデザインされたのだとか。内装に魅了される昭和喫茶は、店主ご自身がデザインされている場合が多いです。

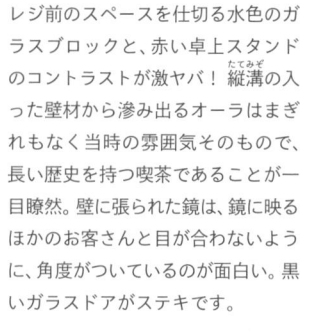

レジ前のスペースを仕切る水色のガラスブロックと、赤い卓上スタンドのコントラストが激ヤバ！ 縦溝（たてみぞ）の入った壁材から滲み出るオーラはまぎれもなく当時の雰囲気そのもので、長い歴史を持つ喫茶であることが一目瞭然。壁に張られた鏡は、鏡に映るほかのお客さんと目が合わないように、角度がついているのが面白い。黒いガラスドアがステキです。

37

喫茶 沙婆裸
（サ ハ ラ）

レジカウンター上の独特の空気感

シ ブい板張りの壁とは対照的に、照明器具はスペースエイジでポップな白とオレンジ色。このギャップが、それぞれの存在感を引き立て合っています。もう、センスが良すぎて、いつまでも眺めていたくなります。

創業は70年代ど真ん中の、昭和50年。新宿の中心という立地にふさわしい、都会的でモダンな内装です。ラウンジチェアは、ゆったりくつろげる大きめサイズで、座り心地も抜群です。レジカウンターの上には、フリンジ付きのテントが下がり、その中でオレンジ色のペンダントライトがほんのりと光を放っています。

38 スナック喫茶 チロル

陽の光を浴びるステンドグラスが美しい

カ ウンターが天井と同じ形にうねっています。天板のエッジには、肘を置くためのクッション材が張られ、垂直面にはゴブラン調の壁紙が。吊るされた球体照明の灯りも怪しげで、じつにサイケな空間です。

創業は1969年頃。入り口がアーチドアのお店は、最近はだいぶ見かけなくなったような気がします。ベージュの化粧板とステンドグラスの組み合わせも、現代の感覚では思いつかないような昭和らしい絶妙な組み合わせ。店内の窓にもステンドグラスが掛けられ、陽が当たると色鮮やかです。背もたれがパンパンに張ったチェアは、開業時から使わ

れているヴィンテージ物。ママさんはカメを飼っていて、寝る時も一緒なのだそうです。奥のメスは人見知りですが、手前のオスは人を怖がらず、手のひらに乗せても平気です。カメはあと50年くらい生きるそうで、「私はあと50年も生きられないから、その先どうしようかと思って」との言葉に、なんだかグッときてしまいました。

39 珈琲&フード フランク

ぎっしり張られた剝げ石とこだわりの照明器具

2フロアある店内は、それぞれ雰囲気が異なります。2階のチェアは黒レザーで背もたれが極端に分厚く、鉄脚がメッキでモダンなデザイン。壁には半立体のタイルが斜めに張られ、ランダムに鏡が入っています。

ドアを開けた瞬間、あまりにも素晴らしい内装に感激しました。剥げ石がぎっしりと張られたシブい壁に、対照的な色味の花形間接照明が設置されています。1階のチェアは木製ですが、背もたれにレザーのクッションが張られているため、座り心地もソフトです。石は、外観と内装を合わせて何枚使用されているのか見当もつきません。1枚700円したそうですが、どれだけお金がかかっているのでしょう（驚）。照明器具はどれも目を見張るテイストのものばかり。階段スペースにも、金属製のスペーシーな照明が吊るされています。店頭に置かれた電光看板は、「く」の字に折れているのが面白い。内外装ともに個性が強く、説得力のある建築デザインです。開業から50年経っているとか。

40 コーヒー マツモト

デコラ張りの壁に滲む70年間の風格と年輪

賑やかな商店街の裏道にあるため目立ちませんが、映画のロケにも使われたことのある、知る人ぞ知る名店です。創業はなんと90年ほど前で、この場所では70年間にわたり営業を続けているそうです。

ヤニで真っ黄色になったデコラ張りの壁が、風格と年輪を感じさせます。フリルの付いた白いレースのカーテンが、左右で絞られているのも昭和的。照明器具はすべて40年ほど前に取り替えたそうですが、それでもかなりの年代物です。ブラケットライトの分厚いガラスシェードから漏れる灯りが、店内を琥珀色に染めていました。

41 コーヒーの店 白十字

スピーカーコーンを埋め込んだ壁がいい味を

天井まで板張りになった壁は、もともと無着色で白っぽかったものが、年月を経て茶色に変化したのだそうです。モルタルの壁がフジツボのように飛び出した部分には、スピーカーのコーンが埋め込まれています。

創業は60年前。現在の内装になってから45年になるそうです。チェアの背もたれが、クルマのシートのように内側にカーブしているのがカッコイイ。テーブルは、席へ座る際、角に足をぶつけないように、外側のコーナーが1箇所だけカットされています。ランプシェードは珍しい革製。店名どおりの白い外観もステキです。

42 純喫茶 ロンドン

半端ない昭和感の見どころ満載

新潟県を代表する昭和喫茶は、昭和42年創業。昭和の空気感が半端ではないです。天井の蛍光灯は、灯りが直接目に入らないよう、吊るされた板の上に設置されています。こういう演出、好きだなぁ。

テーブルゲームの席もあります。つる草模様の面格子や、アンバー色のアンティークなブラケットライトなど、店内は見どころが満載。訪れたのは雪が積もる寒い夜でした。ほとんどのお店が営業を終えて暗くなった商店街に、ほんわりと灯る電飾看板やサンプルショーケースが幻想的でとてもキレイです。

43 純喫茶 パール

真珠の イラストが 描かれた看板 にひと目惚れ

茶系で統一された全面板張りの店内。照明の明るさは控えめで、とても落ち着いた雰囲気です。入店した時は中央にある2つの球体照明の灯りが消えていましたが、ママさんが僕のためにわざわざ点けてくれました。

店頭に掲げられたレリーフ状の金属製看板にひと目惚れして写真を撮ったら、ちょうど降っていた雪がいい感じで写りこみました。筆記体の「Pearl」の上にある真珠貝のイラストがお気に入りです。真珠は南国のイメージですが、不思議と雪がよく似合いますね。散策で身体が冷えたのでホットコーヒーであたたまりました。

喫茶 あかね

潜水艦の中にいる気分になってしまう壁と窓

これには驚いた！一面に茶系のクッションが張られた壁に、二重構造になった角Rの窓が並んでいます。まるで潜水艦の中にでもいるみたいな感じだなー。テーブルがゲーム筐体なのもテンションが上がります。

食器棚が、とってもおしゃれ。角Rになった枠の内側には、黄色やオレンジ色の化粧板が張られています。球体照明との相性もピッタリ。カウンター席では、常連と思われるお客さんたちが賑やかにお酒を呑まれていました。喫茶といえども、実質はほとんど居酒屋ですね。カップ酒が並んでいたりして、庶民感あふれるお店でした。

喫茶 故郷

天井に美しく放射状で流れていく照明の灯り

アンバー色に染まった薄暗い店内。カウンターには、昭和50年代に流行った花モチーフのファイバーライトや、昔懐かしいピンク電話が置かれていて、とてもノスタルジック。大きな給湯器も昭和してます。

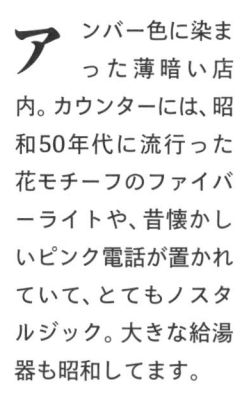

テーブル席は、喫茶としてはゆったりサイズ。天井の照明器具から美しい灯りが放射状に流れます。窓のない壁に、レースのカーテンが掛かっているのが風変わりです。白いタイルに覆われた外観は、角丸の大きな窓が目を引きます。コカ・コーラの電光看板はレアな70年代物。アイスコーヒーを注文したら、サービスでお菓子やゆで卵が付いてきました。

甲州屋

ライトの赤とガラスの青が鮮やかに映える

竹で編み込まれたチェアの背もたれ、クッションが張られたカウンター、花柄の食器棚など、すべての絡みが絶妙です。このチェアは、僕が運営するブログ「昭和スポット巡り」のバナーに使用させてもらっています。

ナショナル製ペンダントライトの赤透明や、大きなガラス窓の中央を横切る青いラインの彩度が高く、落ち着いた色合いの内装によく映えます。ツヤのあるツートンのカフェチェアや、レースのカーテンの組み合わせも完璧。鉢置きパーテーションに置かれた観葉植物が、いいアクセントになっています。青磁色の壁や骨董品と思われる墨絵の額など、東洋的な要素が盛り込まれているのがポイントです。奥のコーナーには、昭和中期に流行ったガラスの灰皿時計が飾られています。外観はシンプル。小波模様になった漆喰の塗り壁が、昭和時代の雰囲気を漂わせています。大きなサンプルショーケースには、コーヒーカップやグラスのほかに、こけしなどの郷土の品が並びます。

47 喫茶 ニュー ビーナス

**超弩（ど）級の
地元密着
アットホーム
テイスト！**

お店は階段を上がった２階にあるようです。壁の札には「食堂みたいな喫茶店。御年輩の方からお子様までお気軽にお立寄り下さい」と書かれています。アットホームな雰囲気であることが伝わってきますね。

店内は外観から想像するよりも広く、大勢のお客さんで賑わっていました。庶民的な雰囲気で、初めての入店でもくつろげます。カウンターチェアは、脚が三脚になった珍しいタイプ。食器棚にウイスキーボトルが並んでいるので、お酒も飲めるようです。トマトジュースを注文しましたが、ママさんがデザートをサービスで運んできてくれました。

48 珈琲の店 翁堂茶房

店内に坪庭！
チェアの
背もたれは
中央に竹が！

昭和度の高い内装に感激です！写真では見たことがありましたが、実際に訪れて雰囲気を体感してみると、写真では伝わらない深みが。窓には型板ガラスが入っているので、陽の光がやわらかく差し込みます。

からし色のチェアは、背もたれの真ん中に編まれた竹が入った超珍しいタイプです。店内には坪庭もあってぜいたくな気分を味わえます。外観は、3連のアーチ窓がとっても印象的。装飾テントが大きく破れてしまっていますが、色合いやツタの絡み具合がとても気に入ったので、この先も張り替えないでほしいなー。外が暑かったので、ソーダ水を。

49 レストラン 洋食と喫茶 スリースター

洋風の横長な建物は2階に瓦屋根が！

現在2階は使用されていませんが、アコーディオンカーテンで閉ざされていた階段スペースを見せて頂きました（左ページの写真）。星のような形をしたスペーシーな照明と、丸い飾り窓の絡みが素晴らしいです！

改装歴はないようですが、半世紀が経過しているとは思えないほど内装の状態がいいです。茶系で統一された広い店内には、高級感のあるダイニングテーブルセットが並び、要所要所に背丈のある観葉植物が配置されています。ビシッと白いワイシャツに蝶ネクタイを締めた、ダンディーなマスターに話を伺ったところ、開業は50年前になると

か。円形のドアハンドルは、穴の位置が中央からズレていて、三日月形になっているのがカッコイイ！横に長く伸びた外観は、雰囲気が異なる4つの建物がドッキングした造りに。2階には宴会場があるようで、瓦屋根の和風家屋が屋上に建てられているかのようです。その側面に立つ、上空へ大きく張り出した壁も奇抜です。

喫茶 加奈

トンネルのように完全に丸くなった天井

ス ペースエイジな照明器具に、障子格子のような柵や緑色のカーペット。それらが絡むことによって醸し出される高度経済成長期の雰囲気が、思いっきりツボです！嗚呼、これぞ僕が探し求めている昭和だ。

天井の隅だけがラウンドした喫茶はよく見かけますが、トンネルのように完全に丸くなっているのは珍しいです。ろくろ加工の格子間仕切りと、ウィンザーチェアとの絡みも完璧。天井には、上品な花形の照明。奥にある大きな窓から陽が差し込み、開放感が漂います。窓の外には、唐草模様の柵で仕切られた植木スペースが。

51 純喫茶 ラ・ポール

オレンジのアクリルドアは内外で色が変わって

僕が内装に関心を示すと、ママさんは笑顔で対応してくれました。外からはオレンジ色だけど店内では黄色に見えるアクリルドアと、赤いガラスシェードのペンダントライトのコントラストが美しすぎます！

創業は昭和40年代後半。店内にはパイプ製のスタイリッシュなチェアが並び、天井には透明ガラスシェードのペンダントライトが、チェーンで吊るされています。エントランスは、当時の建築物によく見られる茶色のタイルが張られ、70年代らしいデザイン。白いドアハンドルや「営業中」の札に、グッときました。

52 喫茶と軽食 ケルン

超レアな木製ドアに稲妻模様の型板ガラスが

喫 茶店としてはかなり珍しい、純和風に近い内装です。奥の坪庭とを仕切る雪見障子（ゆきみしょうじ）は、庭を眺めやすくするため、下端を床から少し上げてあります。ミッドセンチュリーなテーブルセットも、お店の雰囲気にピッタリ。

店内には珍しいアイテムがたくさんあります。小型のピンク電話は、なかなか見かけませんし、奥のテーブルの鉄脚も非常にレアなタイプです。郷土品などの人形も多数飾られていて、中でも特に気に入ったのが、起毛陶器製の猫の置物。三毛とサバトラが嬉しそうに抱き合っています（笑）。カワイイー。木枠のガラスドアが喫茶店などの飲食店に現役で使用されているのは極めて珍しく、さらに、数ある型板ガラスの中でも、稲妻のような模様は特に好きなタイプです。喫煙OKなので、ホットコーヒーを頂きながらまったり一服しました。建物の入り口に店名がありますが、青と白の庇テントをくぐって通路を進んだ突き当たりがお店という変わった構造になっています。

53

洋菓子喫茶 富士

洋菓子店でありながら店名はザ・ニッポン！

創業は戦前で、当初は甘味処だったそうです。現在の建物は後年に建て替えられたものですが、看板だけが和風なのは、甘味処時代の名残というわけです。赤い富士山や文字の色合いが愛おしい。

店頭のステンレス製ガラスショーケースも、時代を感じさせる貴重なもの。店内は照明が控えめなので、黄色いカウンター照明がとても映えます。テーブル席は、ペンダントライトの位置が極端に低く、ちょっと大人の雰囲気です。灰皿やメニューもきっちり置かれていて、ママさんの几帳面さが伝わってきます。

54 珈琲駅 ブルー・トレイン

鉄道ファン垂涎！ 専門喫茶の愉悦

テーマが鉄道という、夢のある喫茶。座席は列車っぽくボックスに。今では貴重な、金華山生地張りの座席がそそります。ガラス越しに鉄道模型のジオラマがあり、ホントに列車に乗っている気分を味わえます。

おっ！　電車が走ってきました。鉄橋の立体感が物凄くリアルで、見ているだけでゾクゾクしてきます。この本物感、円谷プロ特撮顔負け（？）のジオラマですね。外観は、列車をそのままハメ込んだかのようなショーケースが、通りかかる人の目を引きます。電車のスピード感を表現した店名ロゴもステキ。

55

パーラー アコ

赤と白を キーカラー にした 60'sテイスト

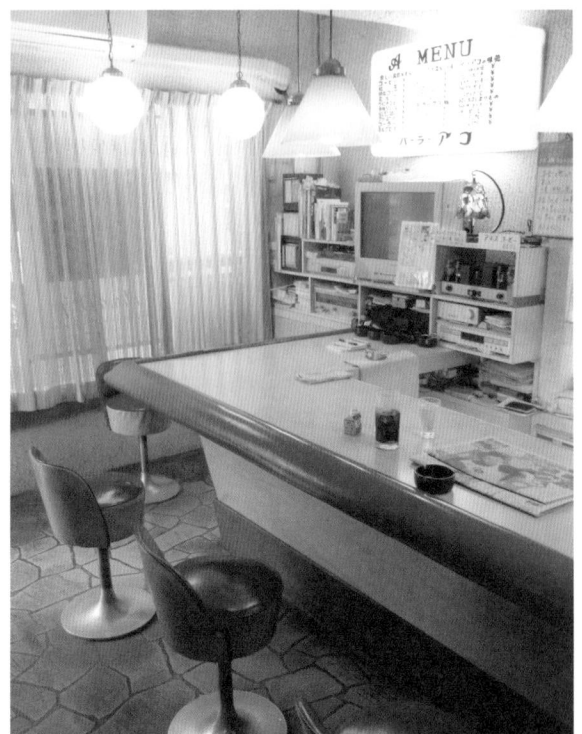

カウンターのテーブルとチェアは、赤と白のツートンで揃えられた、60'sモダンなデザインです。奥の壁に設置されたカワイイメニューの電飾看板は、開業時からのもの。剝げ石の張られた床がオシャレ。

当時物のツートンチェア2脚が、同色ではなく、赤と白なところがモダンです。琥珀色に灯る、アンティークなフロアスタンドもステキ。棚の上にはヴィンテージのスピーカーが置かれています。創業は昭和43年だそうですが、そこまでの古さを感じさせません。当時としては、最先端の内外装だったのでしょう。自分と同い年の喫茶は、親近感が湧きます。

56 TEA ROOM 泉

茶の間で くつろいでる 気分に なれる空間

カウンターチェアに敷かれたノッティングに、落ち着いた色合いの珠のれん。手作り感満載の店内で、ママさんとテレビを観ながらおしゃべり。のんびりとした時間の過ごし方は、ひとり旅の醍醐味です。

天板が一枚板の天然木ローテーブルも、素朴であたたかみがあります。照明は控えめですが、大きな窓から陽の光が差し込むので、店内の明るさはちょうどいい塩梅。外には坪庭があるので、とても開放感があります。外観も、店内同様に手作り感に溢れています。店名のロゴもアート性が高く、お気に入り。お店は「猫橋飴屋通り商店街」にあります。

57 珈琲専科 アンディ

ソファ、
階段、
扇風機…
と緑を基調に

かまぼこがたくさん並んだようなファサードがかなりヤバイです！「専科」は70年代の流行りワードなので、その頃に開業したお店だとわかります。当時、「男子専科」や「音楽専科」などの雑誌もありました。

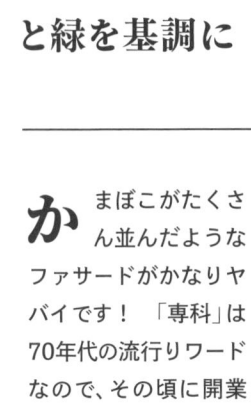

店内は、意外にも緑色を基調とした内装。昭和時代から使い続けていると思われる扇風機も緑色です。上階がありますが、今は使われていません。窓際席は、昭和喫茶としては非常に珍しく、サンルームが設けられています。チェアは、ソファタイプのゆったりサイズ。ステンドグラス風のペンダントライトも、当時ならではといった感じです。

58 純喫茶 甍 <ruby>甍<rt>いらか</rt></ruby>

和風テイスト
も混じり
合った
ドシブな内装

入店したのがちょうど昼時だったためか、店内はサラリーマン客で混み合っていました。どうやら人気店のようです。六角模様の金物パーテーション越しに店内を見ると、しびれるほどカッコイイです。

店内には、おかめ面や信楽焼<rt>しがらき</rt>のたぬきなど、日本的なものがたくさん飾られています。奥の壁には和風テイストの壁紙が張られ、筆文字を立体に起こした「甍」の文字が堂々と掲げられています。シブいなー。外観では、微妙に角度がついて「くの字」になった右上の白い壁や、斜めになった面<rt>めん</rt>格子<rt>ごうし</rt>など、強いこだわりを感じる建築デザインです。

59 パン 生菓子 ボン・千賀

暖色系でまとめたライトや
壁紙やチェアなどセンスが抜群

ンダントライトがポップでカワイイ。オレンジ色と黄色が交互に並んでいるところが効果的です。ストライプや花柄の壁紙が店内の全面に張られていて、どこを眺めても退屈しません。

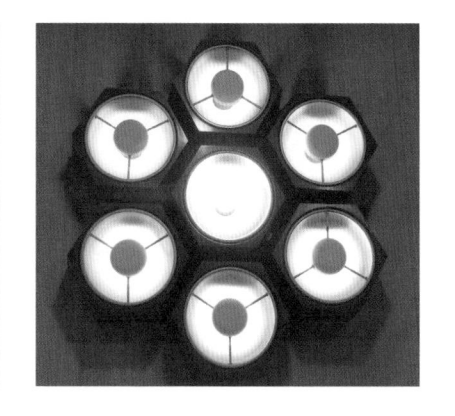

店内はパンや洋菓子の売り場と喫茶室に分かれているのですが、売り場の内装は見どころが多いです。壁紙はアート性が高く、抜群のセンスですね。３連のブラケットライトがカッコイイなー。店内のアクセントになっている、八角形が組み合わさった照明も、スペーシーでヤバイです。まるで、ロケットエンジンが噴射しているかのよう。発想が幼稚ですが（汗）。三色パンを購入し、訪問した趣旨をママさんに伝えると、お店の紙袋をプレゼントしてくれました。電光看板や窓越しに見える店内のペンダントライトの灯りが、カラフルでとってもキュートです。内外装、ママさんのお人柄、味、すべてにおいて大満足でした（現在、お店の紙袋は有料、店内は禁煙となっています）。

60　喫茶・軽食 ドラゴン

昭和度の高い外観に興奮！
内装に鼻血！

開 業時の状態が見事に保たれている外観に大興奮です！　青と白に色分けされた装飾テントが、プロ野球「中日ドラゴンズ」を連想させます。「フキーコーヒー」の電光看板がレア。斜め向きのドアが、昭和してます。

カウンターとテーブルスペースを仕切る、「つ」の字にくりぬかれた壁と、六角形の壁面装飾の絡みが、しびれるほどカッコイイ！　もう、鼻血モノです。ねずみ色のカフェチェアが、シンプルでスタイリッシュ。壁一面に張られた茶色いクッションが目を引きます。店内は、昭和度が高いうえに、隅々まで手入れが行き届いていて、とてもキレイです。

愛知県はレベルの高い内装の昭和喫茶が多くて、ホント羨ましいなー。食器棚の中に張られた壁紙が、サイケでポップでとってもオシャレ。四角いアンバー色のペンダントライトは、ガラスがかなり分厚く高級感があります。ハンバーグとライスのセットを頂きました。銀皿に盛られているのも、昭和を感じられて嬉しいです。

61 COFFEE ムラセ

**六角模様の
パーテー
ションが当時
のオーラを**

こ れほどインパク
トがある外観は
滅多にありません！
菱形の壁の裏側には階
段があるのですが、以
前は2階にビリヤード
場があったそうです。
その組み合わせは昭和
喫茶ではよく見られ、
雀荘も同様です。

創業は50年以上前になるそうです
が、内装は当初からほとんど変わ
っていないようです。六角模様の
金物パーテーションがじつにモダン
で、当時のオーラを放っていま
す。食器棚には、カラフルなガラス
ブロックがハメ込まれています。
BGMでかかっていた、朱里エイコ
の「北国行きで」を聴きながら、ア
イスレモンティーを頂きました。

62

喫茶 パスカル青山

白に緑が映える外観と宮殿感漂う魅惑の内装

クッションを使って描かれた太陽や、真っ白な連続アーチなど、見どころの多い内装です！ 創業は昭和46年ですが、チェアなどもしっかりとメンテナンスされていて、まったく古さを感じさせません。

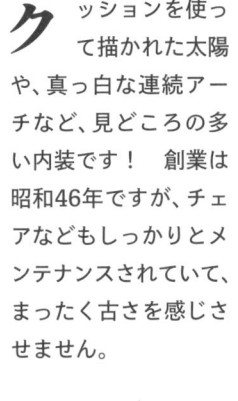

店内同様に、手入れが行き届いた外観。エントランスや窓に張られた装飾テントは、カーブが多用され、円形の穴が開けられているなど非常に凝ったものです。陽の光を最大限に取り込めるよう設計された大きな窓には、高度経済成長期に流行った角丸サッシが使用されています。傾斜した2階部の壁も、特徴的でお気に入りです。

63 喫茶 桂(かつら)

金属パイプ製の大ぶりの装飾がキャッチー

内装がとにかく素晴らしい！　壁に取り付けられた金属パイプ製の装飾がカッコ良すぎです。スペースエイジな照明は、マスターが当時、近所の「ヤマギワショールーム」で購入されたものだそうです。

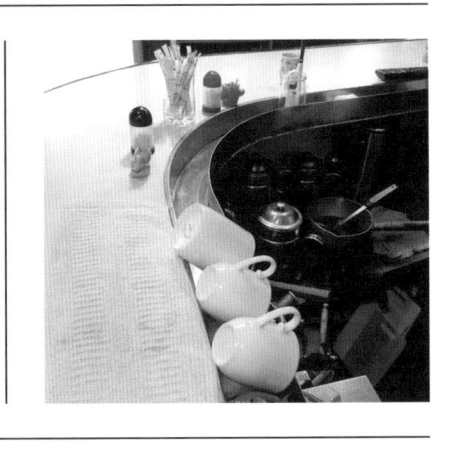

隅々までこだわり抜かれた店内。黄色いペンダントライトがキレイなカウンター周りは、すべて特注です。天板の内側サイドには、食器を置くだけで水切りができる溝が設けられています。これは凄く便利そうですね。食器棚の上部には間接照明が組み込まれていて、「COFFEE」の文字が黄色く浮かび上がっています。フォントや色合いがじつに

クールでオシャレ。創業は50年ほど前になるそうですが、当初は店内がもう少し狭く、開業から10年後に壁を壊して拡大されています。当時は、お店の前の道だけでも喫茶はたくさんあったそう。マスターが「昔は、喫茶に入るだけで不良と呼ばれた」と言っていました。店頭に掲げられた手書きの小さな看板が、味わい深い。

64 洋菓子 喫茶 ボンボン 桜山支店

暖炉と張られた丸太でロッジ感を満喫する

天井が低く、全面板張りの室内。奥には石造りの暖炉があり、ロッジのような雰囲気になっています。朱色と白のツートンチェアは、60'sモダンで凄くオシャレ。70'sな電気ストーブにひと目惚れです。

上下に分かれたフロアを、同時に見た時の立体感が衝撃的！　もう、内装がステキすぎで、クラクラしてしまいました。階段に蹴込み板*がないのがツボです。喫茶室は、洋菓子販売コーナーの奥にあります。外観は、入リ口の電飾看板のロゴや色合いがカワイイ。訪問したのがクリスマスシーズン間近だったので、店頭にイルミネーションが飾られていました。

　［＊註］階段の垂直部分をふさぐ板。

65 喫茶と軽食 すず

2階席から見下ろす眺めのワクワク感

店内は狭いながらも天井が高く、半分のスペースが吹き抜けになっています。お客さんが多い時だけ開放する2階席から1階部を見下ろした時の眺めは、言葉では伝えがたいワクワク感がありました。

創業は、戦後間もない昭和24年。ずいぶんと古いんだなー。2階席の、つる草模様の柵と、板張りの壁に飾られた「湯浴するヴィーナス」の石膏像の絡みが、品があってステキです。このお店がある「駅西銀座商店街」には、全盛期には喫茶が8軒もあったそうですが、残っているのはここだけとなってしまいました。

66 喫茶 バーディー

意図しない和洋折衷が
魅力的なキュートさを

外観からは食堂に近い店内を予想したのですが、入店すると、完全に喫茶店の内装で感激しました。角Rの窓とレースの黒いカーテンとの絡みや、黄色で統一された照明器具や椅子などがとってもキュートです。

名古屋は、歩いているだけですぐにいい昭和喫茶に出会えるので、下調べをする必要がないですね。昭和40年代のナショナル製ペンダントライトに釘付けです。この現物を見るのは初めてなのですが、かなりのレア物と思われます。ティッシュボックスを窓の縁に立てて、スペースを有効活用しています。シュガー立ては、みかんやぶどうの絵がプリントされたコップが使われています。こういうちょっとした発見も、昭和喫茶の楽しみどころだったりします。外観は、意図しない和洋折衷が大きな魅力です。洋風の建物なのに赤提灯が掛かっていたり、手打ちうどんなど和食メニューが掲げられているところが、思いっきりツボ。ビリビリに破れた装飾テントや雑草も、味わいがあって好きです。

67 喫茶 サハリン

レアな白い曲線カウンターと食器棚の統一感

創業は40年ほど前。「店名のサハリンは、出身地なんだよ」。樺太（サハリ
ン）生まれのマスターが、初めてコーヒーを飲んだのは15歳の時。内装
は、当時通っていた喫茶店をイメージしてデザインされたのだそうです。

店内は、カウンターオンリー。お客さんが7～8人
も入れば満席になるほどの小さなお店です。内装
は開業時から何も変わっていません。オレンジ色
のチェアも使い込まれ、いい味が出ています。白い
化粧板が張られたカウンターは、中央がカーブし
た個性的なデザイン。食器棚は、枠の角がRになっ
ているのがツボです。縦長の大きな給湯器や、業務
用のカラオケデッキなど、随所に当時らしさを感
じられるものがあります。壁に貼られた常連客用
のコーヒーチケットも、昭和喫茶ならではの情景
です。壁に設置された照明器具は、金属のバーにオ
レンジ色の四角い透明アクリル板を並べて取り付
けた珍しいもの。外観は至ってシンプルです。帰り
がけにお店のマッチをたくさん頂きました。

68

パーラー 尚
（なお）

寂（さび）れきった
ビルの2階に
ある応接間的
なオアシス

段天井にシャンデリアが吊るされた、昭和の応接間チックな内装。薄暗い店内に木漏れ陽（こもれび）が差し込んで、とても落ち着いた雰囲気です。樹木柄の壁紙や、壁に掛けられたウミガメの剥製（はくせい）が、昭和らしさ全開！

亀山駅の目の前、寂れたビルの2階にあるお店です。階段は、ビルの内部とは思えないほど木材が多用されています。天井に吊るされた複数のペンダントライトや、幾何学的な壁紙がじつにモダンで、内装への期待が膨らみます。階段の入り口に置かれた電光看板は、なかなかお目にかかれない特大サイズ。筆文字の店名ロゴや色合いがシブい。

69

COFFEE サンコー

地方都市ならではのアットホーム喫茶

壁に掛けられた鹿の剥製が、昭和らしさを強調しています。オレンジ色のペンダントライトやクッション張りの木製チェアも、当時ならではの内装ですね。本棚に漫画が並んでいるのが、庶民的でイイ感じ。

入り口の壁に、鳥の巣が2つ並んでいるなと思って写真を撮ったのですが、あとで見直したら照明器具でした（汗）。創業は50年ほど前になるそうです。外観は、橙色の大きな瓦屋根が特徴。橋のイラストが入ったトタン看板もいい味が出ています。近頃は禁煙のお店が多いので、喫煙できる喫茶は貴重です。

70 喫茶 ブルボン

アーチ塀、二段天井、照準風パーテーション！

ウンターとテーブルスペースを仕切る、クッション張りのアーチ塀に大興奮！　その合間から見える白いカウンターチェアや、黄色いガラスシェードのペンダントライトが、とても絵になっています。

カウンターの天板や食器棚も白で揃えられ、全体的に明るいカラーリングなのがいいです。カウンター背後の壁が天井にかけてラウンドし、天井は山型になったパンのように半円が連続しているのもポイントです。そして、テーブル席を仕切るパーテーションにひと目惚れ。銃に付けるスコープの照準風の金物があしらわれています。ダイヤ形に

なった二段天井と、ゴージャスな５灯シャンデリアの組み合わせが素晴らしい。店内は比較的広いですが、２代目となるママさんが１人で切り盛りしています。創業は昭和45年。ビルの２階にあり窓の外に赤いテントが張られています。ビル自体のデザインとしても、屋上に突き出た間柱が高度経済成長期の雰囲気を醸し出しています。

71 喫茶と軽食 佐保

朱色が広がる壁にライト＋装飾のアクセント

壁の全面が朱色に塗られた、洋館のような優雅さのある店内。ブラケットライトと内側角丸の装飾が、広い壁面のいいアクセントになっています。真っ白の鉢置きパーテーションや、丸いチェアもステキです。

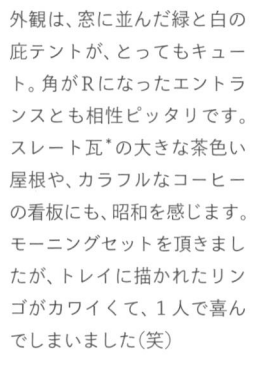

外観は、窓に並んだ緑と白の庇テントが、とってもキュート。角がRになったエントランスとも相性ピッタリです。スレート瓦*の大きな茶色い屋根や、カラフルなコーヒーの看板にも、昭和を感じます。モーニングセットを頂きましたが、トレイに描かれたリンゴがカワイくて、1人で喜んでしまいました（笑）

72 喫茶と食事 ゴールド

国道沿いに佇みながらも夜が似合うゴージャス感

破れたテントに惹かれて寄ってみました。でも、営業中の札も見当たらないし、外からは店内の灯りも見えません。今日は休業なのかな？ そして、ダメ元で入り口のドアを引いてみると……開きました！

BGMのない静かな店内。天井にはゴージャスなシャンデリア、壁にはゴブラン調の壁紙が張られ、夜が似合いそうな大人の雰囲気です。テーブル席はついたてで仕切られ、ボックスに近い状態になっています。そして、驚いたことが1つ。本棚に置かれている大量の雑誌はすべて『週刊実話』でした。マスターの趣味なのかな？

73 パーラー ファッション

青・オレンジ・白でまとめた内装が最高

過去入店した喫茶の中でも、特に印象に残っている内装。ツートンカラーのチェアはアイアン製で、背もたれ部分が、つる草模様になっています。壁のニッチ棚＊に入ったラインが、チェアと同じ青色なのもステキ。

白を基調に、青とオレンジでまとめられた内装。これぞ「昭和40年代のパーラー」といった感じで最高です！　天井には、ナショナル製の「フラワーペンダント」ライトがたくさん吊るされ、とても華やか。テーブル席とカウンター席を仕切る、ろくろ加工の白い柵がメルヘンチックで、ワクワク感をいっそう盛り上げてくれます。カウンターチェアは、ペンダントライトとお揃いのオレンジ。クッション壁に入ったストライプも当時らしさがよく出ていて、キュンとしてしまいます。店頭のトタン看板も見逃せません。店名の「Fashion」の文字が、帽子をかぶった女性の顔になっているのが面白い。装飾テントが大きく破れていたり、サビなどもあったりで劣化が著しいですが、それも味です。

74 喫茶 軽食 サンフィールド

全面の窓から海が見下ろせる一軒家喫茶

街 道沿いの、崖っぷちに立つ喫茶。側面を見ると、建物は太い鉄柱に支えられて宙に浮いていました。建築デザインも個性的で、屋根がジグザグになっています。エントランスの柱が斜めなのもカッコイイ。

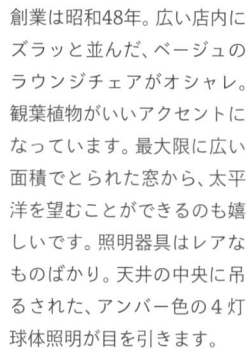

創業は昭和48年。広い店内にズラッと並んだ、ベージュのラウンジチェアがオシャレ。観葉植物がいいアクセントになっています。最大限に広い面積でとられた窓から、太平洋を望むことができるのも嬉しいです。照明器具はレアなものばかり。天井の中央に吊るされた、アンバー色の4灯球体照明が目を引きます。

75

喫茶 軽食 セブン

住宅街の奥にある究極の隠れ家的喫茶

竹林柄の壁紙とベルベットの木製チェアの絡みが、とても品があってステキです。昭和40年代の雰囲気が漂うステンドグラスのペンダントライトや、タイル柄のクッションフロアもノスタルジックです。

外観の特徴は、極端にせり出した橙色の大きな瓦屋根と、最大限に大きくとったガラスドアと窓。のどかな住宅街の奥まった立地のうえに、表には店名が書かれた看板などがいっさい見当たらないので、まさに、隠れ的存在です。訪れた時に開業は38年ほど前とママさんは言っていましたが、その後閉店したようでとても残念です。

76 喫茶 nest

元ナイトクラブの
老舗は宇宙イメージで

内装テーマは宇宙。これほどまでにクールでモダンな喫茶を、僕はほかに知りません。間違いなく全国トップクラスの内装です。もちろん個人的な好みですが、60'sカルチャーが好きな人なら異論はないでしょう。

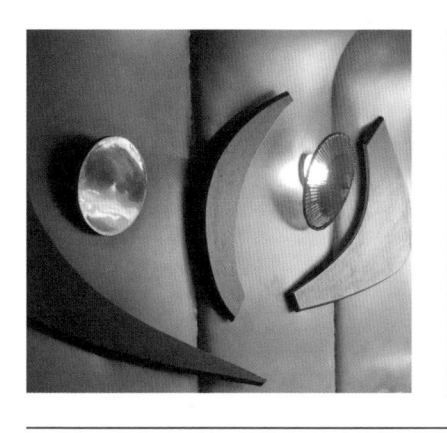

創業は昭和41年で、もともとはナイトクラブとしてオープン。壁のオブジェは月と太陽を表現しています。太陽部分は、電球に番傘の骨のようなものが掛けてあるのですが、このワンポイントの和洋折衷が、空間全体を引き締めています。ナイトクラブ時代は照明の位置がもっと低く、客が椅子に座ると、店員が床に膝を付いて「いらっしゃいませ」と迎えたそうです。当初は、店内中央にグランドピアノがあったのだとか。ナチュラルな天板のカウンターもオシャレ。スペースエイジ・インテリアというと、流線形を描く強化プラスチックのイメージが強いですが、これも別の1つの形ではないかと感じます。お店はビルの2階にあります。入り口テントのロゴマークもアート性が高いです。

77

喫茶 アリア

2つのスペースは似て非なる雰囲気に

まるで70年代のスパイ映画にでも出てきそうなクールな内装。山吹色の丸いチェアが、じつにモダンです。地下なので窓がありませんが、密閉感をなくす目的で、一面ガラス張りの奥に坪庭が設けられています。

創業は昭和43年。店内は２つのスペースに分かれていて、雰囲気が多少異なります。カリモク調の黒いカフェチェアと、緑色のカーペットの絡みも絶妙です。地上から細い階段を下りると、フロアの奥に白いドアハンドルの入り口があります。脇にあるアンバー色のガラスから溢れる、店内の灯りが美しい。

78 コーヒーハウス 田園

いまや絶滅寸前！制服姿のウェイトレス！

入店してまず意外に思ったのは、制服を着たウェイトレスが数名いて、営業体制がしっかり整っている感じがしたこと。さらには、昭和喫茶にありがちなカビ臭さもなく、"ひなびた感"がほとんどありません。

阿倍野駅前という立地にふさわしい、じつに都会的でクールな佇まいです。外観の壁には紺色の六角形タイルがぎっしり張られ、重厚感のあるシンプルなデザインになっています。このようにタイルを多用する手法は高度経済成長期ならではといった感じで、個人的にも大好物。電光看板の上には、昭和感漂う点滅球が並んでいます。

79 喫茶 グリル 幸の屋

グラビア撮影のロケに使われそうな豪華さ

デ ザインコンセプトが明確で、いっさい隙のない完璧な内装です。鮮やかな水色のカーテンから落ち着いた色の椅子や床まで、たくさんの色が使われているのに、どうしてこんなにまとまりがあるのでしょう。

六角模様の青い壁紙と、白いフレームの鏡や装飾柱の組み合わせも、しびれるほど完璧です。店内にたくさん飾られた生け花も、お店の雰囲気にピッタリ。創業は昭和40年。開業から半世紀以上経っているのに、店内はとても状態良く維持されています。このまま国の有形文化財に指定して保護してほしいです。

80 喫茶・軽食 白泉堂

駄菓子屋を抜けるとそこは昭和喫茶だった

駄菓子屋の奥にあるという、とっても夢のある喫茶室です。緑色のチェアが10脚ほど並んだカウンター席は大きくゆるやかにラウンドし、色とりどりのペンダントライトがいくつも吊るされています。

ここは、昔ながらのアーケード街「城東中央商店街」の一角。駄菓子の販売コーナーと喫茶室を仕切る透明オレンジのアクリル製ウエスタン扉が、涙モノの素晴らしさです。オレンジ色のアクリル板と、白い筆文字で記された「喫茶」の組み合わせが、クラクラするほど衝撃的。甘いモノ系のメニューも豊富だったので、ならばと、あんみつを頂きました。

81 喫茶 だんだん

兜風の壁が立つインパクト大の建物

閉店直後でしたが、マスターがドアを開けてくれました。内装は総理大臣賞を受けた建築士が手がけられたのだそうです。そして、店内の写真だけ撮らせて頂き、翌日にあらためて訪問する約束をしました。

とても個性的で、インパクトのある外観です！ 建物の右側には、戦国武将の兜を連想させる2本の大きなツノ状の壁が立っています。タイルが、ツノの間にだけ張られていたり、側面の色分けが曲線になっているところにセンスを感じます。ガラスが「十」の字に区切られた木製のドアもカッコイイ。左側の建物は今は使われていませんが、トタン看板の退色具合が全体の昭和度をアップさせています。日中の明るい雰囲気も、夜とはまた違った良さがあります。夜は半分しか見えなかった丸窓も、レースのカーテンが陽の光を通し、輪郭が浮かび上がって見えます。昼食に、加古川名物のカツライスを頂きました。デミグラスソースは、1週間も仕込んで作ったマスターこだわりの味です。

82

喫茶 Gセブン

本格的な白いカウンターとテーブルが美しい

内装はすべて家具職人の手によるものという、こだわりの店内。そのため、造りが頑丈(がんじょう)で、今でも開業時と変わらない状態を維持しています。Rにくりぬかれた食器棚は、側面が木目になっています。

カウンターやテーブルは、中が空洞に近い状態になっていて、上下の板の間に桟(さん)が一定間隔で入っています。そのため、いくら強く叩いてもびくともしません。さらには、あとあと歪みが出ないように、釘は使わず、すべてボンドで組み立てられているそうです。店名の由来は、予想どおり、音楽のコードネームでした。

83

TEA ROOM アミカ

ゴブラン調の壁紙でタイムスリップ感を満喫

昭和時代の面影を色濃く残したハイレベルな内装です！店内には時代感を損ねるようなものはいっさい見当たらず、タイムスリップ感を存分に味わえます。白と青のツートンチェアがとってもクールです。

奥の壁は全面に鏡が張られ、店内が広く見えるよう工夫されています。ゴブラン調の壁紙が魅惑的で、夜が似合いそうな大人の雰囲気。民族系のレリーフや、パイナップル風の照明器具など、アイテムの選び方にもセンスを感じます。外観は、壁一面に青いタイルが張られたシンプルな造り。店頭の電光看板は、開業時から使われているもののようです。

84 COFFEE SNACK セリナ

閉業直前に滑り込み、迫りくる寂しさ

2度目の訪問で入店が叶ったのですが、その時は閉業の直前……。理由は立ち退きとのこと。「立ち退きがなければ、もっと続けたかった」と残念そうに語るマスターの言葉が強く印象に残りました。

カッコイイ青と白のツートンチェアやカウンターのペンダントライトなどは、閉業したあとどうなってしまうんだろう。捨ててしまうのはもったいないので、どこかのお店が再利用してくれるといいんだけどな。喫茶ファンが訪れると、誰もが写真を撮る人気アイテムの黄色いおじさんは、帽子を外すと中にライターが入っています。銀皿に盛ら

れた、懐かしい味のカレーライスを頂きました。外観は、角Rになったドアや、先端の尖ったアーチ状の窓が特徴的。珍しい山型の電光看板は、オレンジ色のフリル模様が昭和40年代の雰囲気を醸し出しています。マスターに訪問した趣旨を伝えると、「記念に、何か書いていってください」とノートを渡されたので、書かせて頂きました。

85 喫茶＆軽食 ニューセブン

特徴がない外観だからこそ衝撃が大きく

高度経済成長期の面影を色濃く残した店内に感激です！　壁にぎっしりと張られた紺色のタイル。緑と白のツートンチェア。そして、白い小ぶりなテーブル。もう、すべての組み合わせが完璧な内装です。

店内は2スペースに分かれています。奥の部屋は、左列と右列でチェアの色が異なるのがオシャレ。白い化粧板が張られた小ぶりなテーブルは、エッジのゆるやかなカーブ具合にヴィンテージ感が出ています。床は、すり減り具合が年輪を感じさせる、みかん色のクッションフロア。板張りの壁も、深みのあるいい色をしています。お手洗いのドアは、上の角が少しRになっているのがポイント。ドアノッカーのライオンも昭和時代ならではといった感じです。ニッチ棚に置かれている壺、花瓶、時計、像などの置物はどれも年代物ばかり。お店の外観は全面ガラス張りのため、これといって大きな特徴もなくいたってシンプルです。そのため、入店した時の衝撃が、よりいっそう大きくなるのです。

86 喫茶 スワン

**ストライプの
装飾テントが
70年代へと
誘（いざな）ってくれる**

マスターは2代目。開業されたのは40年ほど前で、内装はすべて初代のお父さんが自分でデザインしたのだそうです。カウンターの窓に貼られた花のシールや、黄色い花柄のチェアが、カワイらしいです。

以前は、店内にスワンの硝子細工（ガラスざいく）がたくさん並べられていたのですが、阪神・淡路大震災の時にすべて割れてしまったそうです（泣）。外観は、アーチドアやストライプの装飾テントがいかにも70年代といった感じでお気に入りです。Rが多用された白い壁が、店名にピッタリのイメージ。「ルビアンコーヒー」の電光看板は貴重です。

87 純喫茶 チェリー

純和風木造家屋を洋風の雰囲気に仕上げて

驚きの外観！ お店の正面は、窓が内側角丸になっていたり、カンテラ型のブラケットライトなどが設置され、洋風の雰囲気。ですが、建物全体を引いて見ると、じつは大きな瓦屋根の純和風な木造家屋なのです。

店内はパーテーションで左右に分かれていました。カウンターのある左側は常連客で賑わっていたので、誰もいない右側に着席。壁には黒いニッチ棚が並び、絵画や花などが飾られています。ゴージャスな6灯シャンデリアは、見るからに年代物。多角形の二段天井に張られた、幾何学的な壁紙がシブいです。

88 喫茶 軽食 キャッスル

水槽水槽！ 埋め込み水槽！ とにかく水槽！

ま るで、水族館のような店内！ 水槽が「置かれている」喫茶店はよくありますが、壁に「埋め込まれている」のは大変珍しいです。そして、青緑色の壁に、同系色の緑色の照明器具がとても良く映えてステキです！

水槽の窓が、角丸になっているのが重要なポイントです。直角の四隅では、ここまでオシャレに見えないでしょう。ところで、魚の餌やりはどうやってするんだろう？　とても不思議だったのでママさんに伺ってみたところ、なんと水槽外側の壁が外れるのだそうです！　臙脂色のチェアがスペーシーでカッコイイです。窓側のスペースは、照明が色違いです。レースのカーテンやテーブル筐体も、70年代らしくてイイですね。クリーム色のレザーが張られたチェアがオシャレ。パイプ製の脚が床に対して垂直＆平行に構成されていて、スタイリッシュなフォルムをしています。創業は昭和47年。全国規模で見て、個人的にはトップクラスのハイセンスな内外装ではないかと思います。

89 コーヒー＆カレー K

なんと外観をぐるりと
テントで覆うという発想！

衝撃の外観！　これほどまでに魅力的な装飾テントを今まで見たことがありません。建物全体をテントで囲うという発想が斬新でユニークです。カラーリングはカレーの色にちなんでいるのかな？

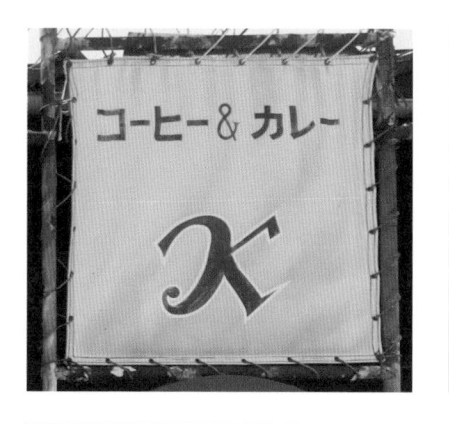

ロゴマークのフォルムが美しく、プロのお仕事で間違いないでしょう。店内は全面が板張りです。間仕切りや間接照明なども木製で、木材本来の味を上手に生かした内装になっています。奥の壁と斜めになった天井が、カーブを描きながら自然とつながっているのも大きなポイントです。かなり高度な建築技術ですね。木製の珠のれんを吊るして席を仕切る方法は、ありそうで意外とないです。カウンタースペースは、板張りの天井が波のようにうねっているのが大きな特徴。食器棚に張られた鏡に、ペンダントライトの灯りが映り込んでキレイです。黒いレザーのカウンターチェアは、脚が長く背が高め。創業は、昭和44年だそうです。店名にもありますので、カレーを頂きました。

90 軽食喫茶 ラブラブ

道沿いの大きなミルと店名ネオンサインが目印

アンティークなブラケットライトが設置された装飾柱、ベルベットの木製チェア、タイルが敷き詰められた床……。店内のどこを見ても、1つ1つに妥協のない、高級感が漂うとても素晴らしい内装です。

天井に連なった照明との絡みがとてもキレイです。お店の雰囲気に合うかと思い、クリームソーダを注文しました。外観は、真っ白い壁にアーチ窓が並んだメルヘンチックな佇まい。建物のてっぺんには、筆記体ロゴのネオンサインが掲げられています。エントランスの屋根を支える大きな装飾柱が印象的。店頭に置かれたコーヒーミルが目印です。

91 COFFEE & SNACK 留園
るえん

凝った造りの二重構造の外壁

丸くくりぬかれた仕切り壁が大きなアクセントになっている店内。ズラーッと並んだ、天童木工製の、レアな「カブトチェア」に惹きつけられました。テーブルも高級そうだし、お金かかってそうだなー。

外の壁が二重構造になっている喫茶は非常に珍しいです。入り口のシャッターは2つの壁の間にあるため、閉店時にシャッターを下ろしてもアーチ状の壁が隠れません。一見、窓は楕円形に見えますが、じつは普通の四角い窓で、外側の壁だけがくりぬかれているのです。とことん凝った造りですね。いいものを見ました。

92 純喫茶 エトワル

窓枠や壁の角がすべてRになった外観が美しい

山口県を代表する名高い昭和喫茶です。店内は２フロアありますが、メインは２階。卵のように丸っこいチェアが、とってもキュートです。板張りの壁に飾られた抽象画の額がハイセンスです。

創業は、なんと昭和26年なのだそうです！　テーブル席は、円形が連なった金属製のパーテーションで仕切られているのが大きな特徴。高級感があるなー。壁に組み込まれた間接照明が、ぜいたくな雰囲気を演出しています。板張りの壁と、青いパンチカーペットの絡みが昭和らしさ全開で、とってもオシャレ。角がRになった白い壁には、東郷青児氏の絵が何枚も飾られています。印刷モノかと思って見ていたら、すべて原画でした（驚）。カワイイネコちゃんは、飼い猫かと思いきや、いつも遊びに来る野良猫なのだそうです（笑）。外観はとても重厚感があります。窓枠や壁の角がすべてR処理されているのが大きな特徴。内外装ともに、非常にアート性の高いお店で、満足度100点。

93 純喫茶 ニューアスカ

華やかな調度
に控えめな
照明で
落ち着きを

「**カ**ワイイ」と「シブい」が共存する個性的な内装に大興奮！ 店内にはたくさんの花が飾られ、ペンダントライトやカーペットなどの色合いも華やか。照明は控えめで落ち着いた空間となっています。

テーブル席を仕切る、つる草模様の入った金物パーテーションがレア。ストライプ柄のパイプ製チェアと柄物の壁紙の絡みも、昭和らしさ全開でグッときます。店内の奥に掛かった青いステージカーテンも開業時からのもののようで、現代にはない色味です。カウンター上に並ぶ、黄色い半球型ペンダントライトがキュート。

94　純喫茶 ブラジリア

キーカラーの青が洗練された雰囲気を

僕の知る限り、徳島県内に残る昭和喫茶らしい昭和喫茶はココだけです。黒いレザーのカフェチェアと青いカーペットの絡みがじつにモダン。壁に取り付けられた花瓶置き棚に時代を感じます。

創業した時期は40数年前とのこと。ツートンカラーのカウンターチェアは、レザーがビニールテープで補修されていて、じつに味わい深いです。角Rにくりぬかれた壁が、昭和時代ならではの雰囲気を醸し出しています。エントランスの壁に張られた剝げ石とアーチ窓が、和洋折衷になっていてお気に入りです。

95 パーラー モンブラン

ステンドグラスの中にはタバコを吸う男女

壁に３つ並んだ、ステンドグラス風の間接照明が個性的。両耳カップの中で男女が向かい合ってタバコを吸うイラストが、サイケ調に描かれています。ベルベットのチェアとも相性がいいです。

照明のシェードは、壁の間接照明に合わせたデザイン。各テーブル席は鉢置きパーテーションで仕切られているため、自分の時間に集中するにはうってつけです。店名に合わせてモンブランケーキの紅茶セットを注文しました。お店は、八幡浜の中心部にある、昔ながらのアーケード街「新町商店街」の中にあります。

96 レストラン＆喫茶 コスモス

小上がりが奥にある意図しない和洋折衷

初めて来たのにどこか懐かしい！床一面に敷かれたオレンジ色のクッションフロアに、四つ葉のクローバー柄のチェア、テーブルゲーム……。自分が子供の頃によく見かけたものばかりある店内です。

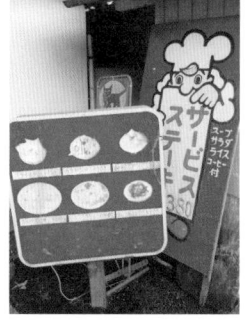

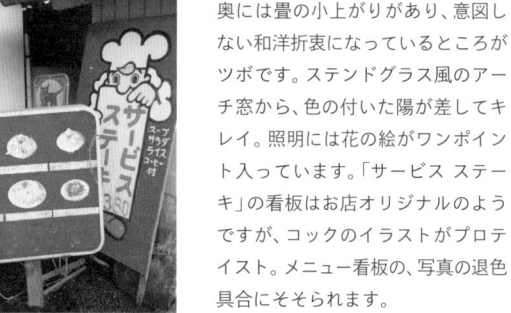

奥には畳の小上がりがあり、意図しない和洋折衷になっているところがツボです。ステンドグラス風のアーチ窓から、色の付いた陽が差してキレイ。照明には花の絵がワンポイント入っています。「サービス ステーキ」の看板はお店オリジナルのようですが、コックのイラストがプロテイスト。メニュー看板の、写真の退色具合にそそられます。

97 喫茶 ロンリン

凹凸感の ある外壁に 堂々と掲げる 「昭和の喫茶」

店頭に掛けられたホワイトボードに「昭和の喫茶」と書かれています。自分の個人的な感覚としては、古いことをネガティブに捉えるオーナーが圧倒的に多いのですが、当店は逆にそれを売りにしていますね。

創業は50年以上前。2代目となるママさんは、前オーナーから38年前に引き継いだそうです。カウンターのほかにテーブル席が3つだけの小さな店内。アーチになった「スタッコ仕上げ*」の壁が時代を感じさせます。カウンターに吊るされたペンダントライトが店内を赤色に染め、ほかのお店では味わえない独特の雰囲気です。

　[＊註]壁の表面に凹凸感のある模様を付ける方法

コーヒーの店 モカ

重厚感ある一枚板の本格派カウンター

創業は53年ほど前。現在の内装になってからは約40年が経ちますが、店内はその当時からほとんど変わっていないそうです。グレーのオシャレなチェアも座り心地が良く、ゆったりくつろげるのが嬉しいです。

アルコールランプのように、ガラスのホヤに傘が掛かったランプ型の照明がオシャレ。重厚感のあるカウンターは、天板が一枚板なのだそうです。どれだけお金がかかっているんだろう？ 板張りの壁も、年月を重ねていい色になっています。エントランスは、壁に白いタイルが張られ、爽やかな雰囲気です。

99

珈琲 冨士

様々な照明の美しさに思わず息をのむ!

入 店してまず驚いたのは、数々のキレイな照明器具たち。天井に並ぶシーリングライトが、斜めに見下ろす角度で設置されているのが珍しい。さらには、壁面の鏡によって数が2倍に見えて魅力倍増です。

コトブキ製と思われる貴重なラウンジチェアがズラーッと並んだ、ミッドセンチュリー・モダンな内装に感激です。チェアは、グラスファイバー製の白ボディに山吹色のレザーが張られていて、うしろから見るとツートンになっています。店内は昭和時代の面影を色濃く残しつつ、手入れが行き届いていて、とてもキレイ。外観から想像するよりも広く、奥行きがあります。天井は、アネモ*の周りを電球がぐるっと1周しています。今まで見たことのない手法の照明ですが、スペーシーでカッコイイ。店頭のステンレス製サンプルショーケースと、壁の幾何学的なタイルの絡みが70'sしていてお気に入りです。街の中心部にある「シーボルト通り」という賑やかな商店街にあります。

COFFEE & TEA

富士

100 喫茶 いさりび

不思議な
お茶の間感が
漂う港町の
昭和スポット

国内有数の港町である佐伯市にふさわしい店名。僕が知る範囲で、佐伯市内にある唯一の昭和喫茶です。建物はモルタル造り。入り口がアーチになっているのも、この時代ならではの雰囲気でステキです。

オレンジ色の半球型ペンダントライトがとてもカワイイです。テーブルは、ダイニング用の大きめサイズ。奥の壁には、パンダの群れが川辺で戯（たわむ）れる様子が描かれた大きな額が飾られています。厨房（ちゅうぼう）のダクトをよく見ると、70年代に流行った花のシールがたくさん貼られていて、キュンとしました。ラタン製のカウンターチェアもいい味が出ています。

101 純喫茶 ラフタイム

凝った構造でデザインされた木製の壁

幾何学的な模様に見える壁や、金属製の球体型ペンダントライトなど、店内にあるものの1つ1つに重厚感があります。とてもこだわりのある内装で、入店した瞬間に「入って良かった！」と思いました。

茶系で統一されたシックな店内。チェアは幅のある2人掛けで、ゆったり座れます。内装でもっとも惹かれたのは、優れたデザインの壁。どのように作られているのかよく見てみると、「へ」の字に盛り上がった板が、タイルのように交互に組まれていました。お店はビルの地下1階で、壁一面にタイルが張られた階段を下りていく時の期待感もいいです。

102 喫茶＆軽食 シグナル

レンガ組みの仕切りと幾何学模様の壁紙が独特

入り口のドアを開けた瞬間、昭和度の高い店内に全身がしびれてしまいました。グレーのチェアとダークなグリーンのカーペットの絡みがシブいです。幾何学模様の壁紙が張られた二段天井が、とってもオシャレ。

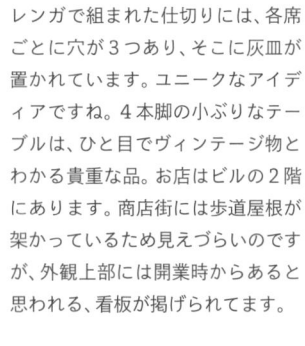

レンガで組まれた仕切りには、各席ごとに穴が３つあり、そこに灰皿が置かれています。ユニークなアイディアですね。４本脚の小ぶりなテーブルは、ひと目でヴィンテージ物とわかる貴重な品。お店はビルの２階にあります。商店街には歩道屋根が架かっているため見えづらいのですが、外観上部には開業時からあると思われる、看板が掲げられてます。

103 cafe' de MARIANNE

マリアンヌ

フロアに高低差をつけるのは広く見せる工夫

筋 交いがアクセントになった白い壁と、ヒカリ製の木製チェアの絡みがじつに素晴らしい内装。テーブル席の手前と奥に高低差があるのがカッコイイ。これは店内を広く見せるための工夫だとか。

創業は昭和51年だそうです。ファサードは、スレート瓦に覆われた山吹色の大きな屋根が特徴です。屋根に設けられた2つの両開き窓も、とってもキュート。真っ白い壁に張られた緑色の付け梁*が、ヨーロッパにありそうな古い木骨造の雰囲気を演出しています。店内のBGMはジャズ。アイスコーヒーは、クセのない好みの味でした。

[＊註]化粧として付ける梁

104 スナック 喫茶 スワン

水草の水槽とジュークボックスのスナック感！

いつか沖縄に行く機会があったら必ず訪れたいと思っていました。入店し、遠慮気味に一番手前の席へ座るとママさんが、「そこ暗いから、こっちの席へどうぞ」と、水槽の脇の明るい席を勧めてくれました。

ライムグリーンの壁が、南国ムードを盛り上げてくれます。ジュークボックスがスペーシーでカッコイイ。照明が控えめなので、オレンジ色に漏れてくる灯りが映えます。コイン投入口がふさがっているので、インテリアとして置いてあるのかな？　入り口のスワンのイラストが描かれた看板がカワイすぎるでしょう？

2022年11月20日現在＝その後も更新中
※所在地非公開は仮名含む

北海道

滝川市
珈琲館 ルピアン

砂川市
喫茶 インパラ
コーヒー・軽食 貞廣

美唄市
*純喫茶 ドール[1]

札幌市
*喫茶 軽食 ミカド[2]
純喫茶 オリンピア
珈琲 わらび

千歳市
コーヒー＆軽食 マンガ喫茶

室蘭市
コーヒーショップ 伽羅（きゃら）
軽食＆喫茶 ロピア
カフェ 英国館
TEA ROOM すずや
パーラー サトウ
喫茶 ランプ城

虻田郡
コーヒーとお食事の店 DRIVEIN いずみ

二海郡
珈琲館 銀嶺

茅部郡
CAKE ＆ COFFEE ドルマン

函館市
喫茶 モーリ
喫茶 エルバ
COFFEE ポーム
珈琲専科 巴山
*ティータイム 嵯峨[3]
軽食 ＆ 喫茶 おか

所在地非公開
喫茶 ロワール

青森県

青森市
*喫茶 セカンド[4]
*珈琲 フォーション[5]
純喫茶 マロン

ぱんかむ さとう珈琲店
ティールーム ミラノ
*喫茶 チビ[6]

弘前市
純喫茶 ルピアン
軽食喫茶 こむろ

岩手県

盛岡市
喫茶 パァク

花巻市
cafe ルパン

北上市
*軽食と喫茶 ロマン[7]
軽食喫茶 マルカール
COFFEE SHOP 窓

奥州市
軽食＆コーヒー ソワレ

秋田県

能代市
喫茶 みむら

北秋田市
純喫茶 オリビア
純喫茶 あすなろ

秋田市
*こうひいの店 やちよ[8]
純喫茶 ハヤール
喫茶 ＆ 軽食 モンペリヤ
喫茶 太田
喫茶 洋食 銀水

山形県

酒田市
COFFEE POCKET 四季
軽食 喫茶 マリン
創作甘味茶房 ケルン
茶房 酒房 季の花

鶴岡市
純喫茶 ローリエ
*コーヒーショップ サンボ[9]
珈琲 軽食 路亞

山形市
COFFEE ラヴ

上山市
COFFEE ＆ SNACK 木の

実

米沢市
Coffee ＆ Snack モカ
COFFEE ＆ 食事 シャトル
珈琲 ＆ 食事 やまびこ

宮城県

石巻市
COFFEE SHOP すぎ

仙台市
*喫茶 アキバ[10]
コーヒーショップ どんぐり
COFFE ROAD ウーラス

柴田郡
珈琲 カンテラ

角田市
軽食 珈琲 たまや

福島県

福島市
*コーヒー ＆ スナック ラーク[11]

郡山市
スナック・喫茶 ミラノ
純喫茶 モナミ

いわき市
純喫茶 ウィンザー
軽食 ＆ 喫茶 フラワーベル
*COFFEE モア[12]
*COFFEE ROOM ボナンザ[13]
喫茶 風車
珈琲 ＆ 軽食 挽歌
軽食・喫茶 ケイ
軽食 ＆ 喫茶 ユキ
軽食・喫茶 サルビア
喫茶 エリーヤ
コーヒー ＆ 軽食 シルビア

茨城県

高萩市
コーヒー ＆ ランチ 道しるべ

日立市
純喫茶 ウィーン

水戸市
喫茶 ユニバース
*純喫茶 冨[14]

石岡市
喫茶 サニー
*喫茶 珈琲 マツ[15]

笠間市
*コーヒー ＆ 軽食 さかえ[16]

古河市
軽食 喫茶 しょうらく

栃木県

宇都宮市
純喫茶 サンバレー
純喫茶 カリーナ
喫茶 美留く
COFFEE SHOP VAN(バン)
喫茶 すみれ色
ブラジルコーヒー商会 栃木県庁前店
軽食 喫茶 トップ

鹿沼市
珈琲店 ニュー平和

栃木市
ティティドール 洋菓子店 喫茶室
軽食 喫茶 ふらわー

足利市
*甘味 喫茶 富士屋[17]

下野市
喫茶 チェリー

小山市
コーヒー・軽食 フルル

日光市
珈琲 ＆ スパゲティ ヒロⅡ世
*軽食 ＆ コーヒー マロニエ[18]
純喫茶 アラジン

群馬県

館林市
COFFEE BREAD 駒草

邑楽郡

COFFEE　ビートル

伊勢崎市
珈琲 & 軽食　かしの樹

桐生市
珈琲　ポケット
喫茶　ポポ
モリムラ珈琲店

前橋市
喫茶　メネシス
喫茶　あおき

吾妻郡
珈琲壱番館　いしい
*カフェテラス　摩耶[19]
コーヒーショップ　CAROLIYA(キャロリヤ)

高崎市
*喫茶　コンパル[21]
Restaurant & Coffee Shop　白馬車
珈琲館　並木
コーヒー & スナック　蛮珈夢(ばんがむ)
喫茶・食事　メルヘン
純喫茶　トムソン

安中市
お食事　喫茶　レストラン　ニューアルプス
コーヒーショップ　軽食　めじろ

富岡市
*喫茶　富士屋[20]
軽飲食　喫茶　飯島屋
COFFEE　エクボ

甘楽郡
喫茶　ロイヤル
Coffee & Wine　ぷおるが

藤岡市
コーヒーハウス　ノア

千葉県

我孫子市
喫茶　トミー

柏市
珈琲ハウス　サンデー
コーヒー & レストラン　ライラック

松戸市
コーヒー & ワイン　微巣登路(びすとろ)
*喫茶　デコ[22]

喫茶室　川名
珈琲店　ヒヨシ
コーヒー専門　珈琲園
*フルーツパーラー　ポポ[23]
喫茶　トッパー
喫茶・パーラー　コロンビア
cafe COLORADO(コロラド) 松戸五香店

埼玉県

羽生市
珈琲のおいしい店　cafe TIME(タイム)
食事 & 珈琲　とんとん

加須市
お食事　喫茶　しま
coffee inn　千珈夢
コーヒーテラス　RiQ(利久)

行田市
純喫茶　フォンティーヌ
珈琲苑　憩
COFFEE SHOP　CARAVAN(キャラバン)
CAFE DESSERT　Boutique glacerie(グラスリー)
コーヒー & ランチ　明日香

熊谷市
喫茶室　フェンテ
ティールーム　友
珈琲専門店　K
コーヒーショップ　アーモンド
喫茶　窓
喫茶　トミー
COFFEE 軽食　しゃとる
フィッシング & コーヒー　サクマ
カフェ 珈水亭　熊谷・銀座
レストラン 喫茶　高原
喫茶 お食事　たばこ いづみや
珈琲館　らずべりい

深谷市
喫茶　Holly(ホーリィ)
喫茶・お食事処　向井食堂
軽食・喫茶　プチ
珈琲　ボナンザ

本庄市
COFFEE SHOP　欅
珈琲屋　コスタリカ
COFFEE HOUSE　ヨーデル
コーヒー・プレスサンド　ペ

ニーレイン
ジャズ喫茶　龍胆(りんどう)
お食事・喫茶　不二ドライブイン

大里郡
喫茶　木馬
喫茶　横浜屋
珈琲店　自家焙煎　洗濯船
カフェ レストラン　ミルトン

久喜市
スナック 喫茶　ポ・ポ
COFFEE SHOP　ピッコロ
カフェテラス　ジュアン
珈琲とお食事　子猫
COFFEE & ピザ　キーウェスト
自家焙煎珈琲　どんぐり

幸手市
モンテ・ヤマザキ　喫茶室

白岡市
喫茶　麻雀　なぎさ

南埼玉郡
喫茶　ポピー
コーヒー & ピザ　パロキア
ティーサロン　すみれ

北葛飾郡
珈琲専門店　チロル

春日部市
珈琲パーラー　ジョイ
Dining room　亜里沙
軽食 珈琲　煉瓦屋
COFFEE HOUSE　らむ

越谷市
パーラー　鯉
軽食 喫茶　プラム
珈琲 & お食事　エスカルゴ

草加市
*コーヒーショップ　ツネ[27]
軽食 喫茶　マロニエ
COFFEE　カプリ
イタリアン スナック　たむたむ

東松山市
*COFFEE　再会[24]
珈琲館　茶亞夢
茶豆館　まめ
珈琲亭　魅乃瑠
いろり茶屋　ぼたん

CAFE POEM(ポエム)
お食事 & 喫茶　喜楽
軽食 & COFFEE　TOPOSU(トポス)

比企郡
喫茶　コスモス
カフェテラス　シンフォニー
喫茶　モール
茶房ギャラリー　夢
珈琲の名門　沙羅英慕 嵐山店
カフェ・ド・レストラン　ベル
コーヒー　しのぎ

鴻巣市
*喫茶 & スナック　サントス[25]
COFFEE　茶々

北本市
カフェド　キープ
珈琲　わ・を・ん

桶川市
コーヒーハウス　ぽえむ

坂戸市
レストラン & コーヒー　サングリエ
喫茶去　タイム
COFFEE　サザン
喫茶とお食事　ろーず
COFFEE & ワッフル　チキタ
COFFEE　花梨
甘味処 喫茶　シルクロード
COFFEE & TEA Tinker Bell(ティンカーベル)

蓮田市
珈琲 & 軽食　ヘイジー

上尾市
炭火煎珈琲　桂(KEI)
コーヒー　特製サンドイッチ のんのん
Cafe & Pub　ボナール

さいたま市
お食事とコーヒー　ニューフラワー
KITCHEN COFFEE NAKA-Q
純喫茶　ひまつぶし
純喫茶　ジュリアン
Coffee & Rest House　コスモス

*カフェテラス　ルポ[26]
コーヒー　ホワイトハウス
喫茶　テン
COFFEE SHOP maro(マロ)
珈琲専門店　幹
珈琲館　伯爵邸
レストラン・喫茶　ヒロ
純喫茶　まりも
茶房　コマ
自家焙煎　珈琲屋　れんが
埼大通り店
自家焙煎　COFFEE
HOUSE　れんが　北浦和店
珈琲専門店　マドレッサ
喫茶　恵比寿屋(エビスヤ)
珈琲・喫茶　埼玉県
喫茶　やじろべえ
カフェ & ビストロ　ペニーレイン
道化宿　COFFEE

- 川口市
*喫茶　クラウン[28]
珈琲専門店　アルマンド
COFFEE SHOP　シモン
喫茶　さかえ
cafe NEW FOLKLORE(ニュー　フォルクローレ)
COFFEE　ルパン
Restaurant Cafe LAVO(ラボ)
軽食・喫茶　茶居夢(チャイム)
珈琲館　マドンナ
コーヒーショップ　桂
珈琲　とちの木

- 蕨市
珈琲とあんみつ　甘味処　風月
軽食 & 珈琲　とも

- 戸田市
コーヒーとお食事の店　カフェ　エトルア
喫茶　カド

- 川越市
喫茶　祇園
コーヒーパブ　舞夢(マイム)
喫茶　神田　珈琲園
コーヒーと軽食　タンネ
コーヒーショップ　マンデリン
ティ・ハウス　マイ・ウェイ
COFFEE　セブン
シマノコーヒー　大正館
カフェテラス　ロッジ

- ふじみ野市
コーヒー専門店　ビーンズ
茶房　札蘭屯(じゃらんとん)
珈琲専門店　エーデル
珈琲　どんぐり
珈琲専門店　グッチ

- 富士見市
コーヒーと軽食　スナック　K
パンとコーヒーの店　珈琲専門　啓
喫茶　カラオケのお店　富貴
定食&喫茶　さくら通り三丁目定食

- 志木市
COFFEE & SPAGHETTI　プポ
食事・喫茶　アリス

- 朝霞市
スナック　喫茶　モカ
サイホン珈琲の店　夕月
軽食・喫茶　珈琲専門店　ARIS(アリス)
喫茶　ルビー

- 新座市
*純喫茶　ミコノス[29]
喫茶　あすなろ

- 入間郡
喫茶　アミーゴ
コーヒーハウス　ジリオ
純喫茶　千種
喫茶　ホープ
レストラン喫茶　マミー
珈琲・ギャラリー　胡桃の木
喫茶・食事　秋

- 所沢市
珈琲　東京堂
コーヒー　ボンボン
*喫茶 & スナック　ニューポニー[30]

- 狭山市
コーヒーハウス　メープル

- 日高市
コーヒー & スパゲッティ　ちゃみ

- 飯能市
カフェテラス　コーヒー　マハロ
珈琲専門店　コーヒー苑

レストラン & 喫茶　エミール

- 秩父市
パーラー　コイズミ
純喫茶　モン
珈琲道　ぢろぱた

- 所在地非公開
幾何学模様ドアの純喫茶
ポンポンシェードの純喫茶
カラオケ　喫茶　スマイル

東京都

- 葛飾区
純喫茶　シャレード
珈琲　田園

- 足立区
清涼飲料　甘味　軽食　かどや
COFFEE HOUSE MOA(モア)
喫茶室　サンローゼ
コーヒーショップ　あかしや
珈琲　モカ
喫茶　シビア
喫茶　シルビア　西新井店

- 荒川区
魔性の味　オンリー
喫茶　ふじ
パーラー　オレンジ
喫茶室　白樺
coffee　おいしい水

- 墨田区
喫茶　珈生園
純喫茶　マリーナ

- 台東区
COFFEE SHOP　ギャラン
純喫茶　みち
喫茶　ケント
珈琲　王城
純喫茶　丘
高級喫茶　古城
純喫茶　いづみ
coffee　ヤマ
喫茶　シルクロード
喫茶　ロダン
喫茶　セブン
珈琲舎　cafe DANKE(ダンケ)
紀文堂総本店　甘味　紀文喫茶室
Coffee Bar Only(オンリー)
喫茶　軽食　筑波
喫茶　スナック　ニューフ

ロンテ
洋菓子　喫茶　アンヂェラス
喫茶　待合室
珈琲　ハトヤ
純喫茶　プラザ
喫茶　デンキヤホール
珈琲専門店　銀座ブラジル浅草店
COFFEE LOUNGE JOY(ジョイ)
*珈琲　エノモト[36]
喫茶　ピーター
Coffee Shop　らい
純喫茶　ラブ
純喫茶　キャノン
純喫茶　ニューキャノン
魔性の味　珈琲　オンリー
喫茶　あかね
純喫茶　きゃんどる
スナック　喫茶　白鳥(しらとり)
純喫茶　有楽
Tea Room Nakaya／中屋洋菓子店

- 北区
COFFEE　みかさ
甘味　喫茶　だるまや
純喫茶　デア
喫茶　しらはま
*コーヒー　ランチ　サントス[31]
スナック喫茶　サン

- 豊島区
レストラン　あかね
珈琲　オリーブ
談話室　エリート
コーヒー　いちこし
COFFEE HOUSE BOGEY(ボギー)
喫茶　えんどう豆
洋菓子　喫茶　お食事　タカセ　池袋本店
珈琲専門館　伯爵　池袋北口店
珈琲専門館　伯爵　池袋東口店
COFFEE & SANDWICH　ぶどうや
珈琲　伴茶夢
喫茶　マーガレット
*喫茶　ヴィオレ[32]

- 板橋区
珈琲家　不二越
コーヒーハウス　フジ
COFFEE & SNACK　TOM(トム)
COFFEE　ウイーン

練馬区
珈琲専門店　ヒロ
珈琲舎　歩歩
サイフォン　珈琲　リリー
coFFee house　アン
喫茶　ベル
喫茶　ボタン

文京区
*珈琲　ボンナ [34]
COFFEE　こゝろ (こころ)
*万定フルーツパーラー [35]
喫茶　ルオー
純喫茶　エデン

中央区
COFFEE RON (ロン)
喫茶・軽食　桃乳舎
COFFEE & TEA
　DISCUSS (ディスカス)
喫茶去　快生軒
喫茶　ポニー
Coffee　センリ軒
珈琲の店　愛養
カレー & コーヒー　さかえ
や
喫茶　ボン
珈琲・お雑煮　マコ

千代田区
喫茶　ストーン
純喫茶　ローヤル

新宿区
珈琲の店　ピース
*喫茶　沙婆裸 (サハラ) [37]
珈琲　タイムス
珈琲　西武
珈琲　らんぶる
喫茶　楽屋
騎士道　珈琲館 & サルーン
珈琲専門店　PONY (ポニー)
珈琲　Lawn (ロン)
珈琲 & お食事　喫茶　ロ
マン
喫茶　つかさ

中野区
喫茶　シェルテ
純喫茶　ザオー
ミカドコーヒー　中野沼袋
店
カフェ　ソレイル
珈琲ハウス　エイト
COFFEE & SNACK　ミロ
ン
洋菓子　パン　喫茶　ルー
ブル

杉並区
喫茶　邪宗門
珈琲専門店　珈里亜
カフェ　gion (ギオン)
珈琲専門店　ポニー
名曲画廊喫茶　ネルケン
珈琲店　どんぐり舎
COFFEE LODGE DANTE
(ダンテ)
洋菓子・喫茶　トリアノン
高円寺本店
音楽室と珈琲　ルネッサン
ス
cafe bouquet (ブーケ)
珈琲専門店　ウイン

世田谷区
和菓子・お食事・喫茶　ミナ
ト
コーヒーハウス　邪宗門
世田谷店
喫茶　せざんぬ

渋谷区
名曲喫茶　ライオン
純喫茶　車
喫茶　銀座

港区
喫茶　いまあさ
*珈琲　バイオレット [33]
パーラー　キムラヤ
喫茶　モト
喫茶　八慶
珈琲　アイビー館
COFFEE　フジ
喫茶　カトレア

目黒区
新鮮果実　フルーツパーラ
たなか

品川区
珈琲　軽食　この路
喫茶　洋菓子　パン　木村
屋
コーヒー　ユウザン
珈琲　スマトラ
珈琲専門店　珈琲太郎

大田区
*スナック喫茶　チロル [38]
喫茶　いけはら
COFFEE HOUSE
　CARROT (キャロット)
珈琲亭　ルアン
喫茶　れもん
純喫茶　リオ

武蔵野市

クラシック音楽　バロック
COFFEE HALL　くぐつ草

小金井市
純喫茶　毬藻 (まりも)

西東京市
喫茶　軽食　まぼ
珈琲館　くすの樹
Tea & Coffee　宮殿
COFFEE SHOP　フジ

東村山市
サイフォン　珈琲の店　ボ
ン
COFFEE SHOP　アベル

八王子市
純喫茶　田園
*珈琲 & フード　フランク
[39]
喫茶　カトレア
珈琲舎　バンビ
珈琲　サントス

国分寺市
ほんやら洞　国分寺店

国立市
ロージナ茶房

立川市
お食事　喫茶　ロンド

昭島市
茶廊　てんとうむし

清瀬市
世界のCOFFEE　パリス
コーヒーハウス　チロル
coffee　みづほ
珈琲　るぽ

小平市
珈琲　待夢
喫茶　太陽

東大和市
珈琲専門店　シャロー
喫茶店　どっぽ

青梅市
coffee cottage　ウォール
ナット

羽村市
喫茶　樹樹

所在地非公開
青い硝子ドアの純喫茶

相模原市
レストラン & コーヒー　キ
ャビン

大和市
COFFEE　チボー家
純喫茶　フロリダ

横浜市
カフェテラス　モデル
*コーヒー　マツモト [40]
喫茶　TAKEYA (タケヤ)
大島コーヒー店
Tea Room　花壇
コーヒー & ハンバーガー
キャビン
Coffee　オリビエ

小田原市
菓子・喫茶　光栄堂
純喫茶　ケルン

新潟市
*コーヒーの店　白十字 [41]
喫茶　マキ
コーヒーショップ　カラカ
ス
喫茶　白鳥
珈琲専科　仲村珈琲館
珈琲　フルト
カフェテラス　カリオカ
coffee HOUSE　サンアイ
珈琲　六曜館
コーヒーの店　マントン
喫茶　モカ

燕市
*純喫茶　ロンドン [42]

加茂市
コーヒー & レストラン
ピノキオ
パーラー　高原

三条市
純喫茶　ゆり

見附市
カフェテリア　志賀

長岡市
コーヒー & スナック　ペ
ペ
*純喫茶　パール [43]
喫茶　ニューコロムビア
COFFEE HOME CHARIN
(シャルラン)
珈琲館　千房 (ちぼう)

148

コーヒー&食事 フラミンゴ

- 南魚沼市
珈琲店 邪宗門

- 柏崎市
喫茶 北欧

- 上越市
珈琲テラス ファミール

- 糸魚川市
*喫茶 あかね[44]

長野県

- 長野市
軽食&喫茶 メモアール
三本コーヒーショップ
珈琲館 りんどう
珈琲館 モカ

- 北佐久郡
珈琲専門店 茶房 マリヤ
フランス菓子 & 喫茶 ル・レガラン
ミカドコーヒー 軽井沢旧道店
珈琲館 旦念亭

- 佐久市
tea lounge Pietoro(ピエトロ)
喫茶スナック 茶王
COFFEE & PIZZA ぽえむ
珈琲 木馬
喫茶 & スナック ルピナス
喫茶 雀荘 シャドウ
喫茶 カド

- 小諸市
純喫茶 マモー
お食事 COFFEE アモン
喫茶 いけの

- 上田市
*喫茶 故郷[45]
*甲州屋[46]
珈琲 木の実
*喫茶 ニュー ビーナス[47]

- 松本市
珈琲美学 アベ
珈琲 まるも
*珈琲の店 翁堂茶房[48]
甘味喫茶 塩川

山梨県

- 都留市

純喫茶 旅苑

- 甲府市
珈琲 六曜館
珈琲 カムイ
*レストラン 洋食と喫茶 スリースター[49]
純喫茶 俺の巴里

静岡県

- 熱海市
COFFEE ボンネット
レストラン 珈琲 フルヤ
*喫茶 加奈[50]
純喫茶 田園
スナック喫茶 くろんぼ
珈琲 貴奈
純喫茶 サンバード
喫茶 パインツリー

- 伊東市
珈琲の店 サン

- 下田市
珈琲店 邪宗門
喫茶 藍

- 三島市
純喫茶 クール
ティーサロン ボナール
*純喫茶 ラ・ポール[51]

- 沼津市
*喫茶と軽食 ケルン[52]

- 富士市
コーヒー & パフェ アサマツヤ
軽食と音楽とコーヒーとりんでん

- 富士宮市
珈琲 らんぶる

- 静岡市
純喫茶 木馬
*洋菓子喫茶 富士[53]
マンガ喫茶 富士
喫茶 ボンヌール

- 掛川市
COFFEE & WINE アカシア

- 浜松市
喫茶 軽食 たじま
喫茶 ぐおん

- 所在地非公開
COFFEE & SNACK マロ海

富山県

- 富山市
*珈琲駅 ブルー・トレイン[54]
珈琲舎 さいほん

- 射水市
お食事・喫茶 利助

- 氷見市
喫茶 モリカワ
喫茶 ブラジル

- 所在地非公開
COFFEE ROOM トライアングル

石川県

- 金沢市
純喫茶 ローレンス

- 小松市
*パーラー アコ[55]
*TEA ROOM 泉[56]

福井県

- あわら市
*珈琲専科 アンディ[57]

岐阜県

- 岐阜市
*純喫茶 蘿(いらか)[58]

- 所在地非公開
珈琲 マコ

愛知県

- 豊橋市
*パン 生菓子 ボン・千賀[59]

- 岡崎市
喫茶 軽食 コロンボ
喫茶 キャッスル
お食事・喫茶 ドライブインこばやし
喫茶 軽食 木馬
COFFEE RESTAURANT キッチン フロリダ

- 安城市
喫茶・軽食 琴

- 春日井市
*喫茶・軽食 ドラゴン[60]

- 名古屋市
珈琲 美保
コーヒー レストラン かかし

珈琲 ライオン
喫茶 サン
喫茶 コンパル 大須本店
コーヒー飲みの店 純喫茶 クラウン
喫茶 新潟
coffee house いと忠
喫茶 バロン
*COFFEE ムラセ[61]
喫茶 西アサヒ 天池店
喫茶 軽食 パーク
*喫茶 パスカル青山[62]
庭園喫茶 峰
コーヒー・ランチ ポッポ
喫茶 スギ
*喫茶 桂[63]
喫茶 コモ
*洋菓子 喫茶 ボンボン 桜山支店[64]
洋菓子 喫茶 ボンボン 本店
喫茶 ヒースロー
*喫茶と軽食 すず[65]
喫茶 軽食 アロマ
*喫茶 バーディー[66]
COFFEE ミヤ
COFFEE ロビン
コーヒー ユキ
喫茶 たんぽぽ
Coffee 4ビート
珈琲館 えくぼ
喫茶・食事 つくし
COFFEE ミミ
COFFEE サン
喫茶 マラガ

- 一宮市
庭園喫茶 フレンド

- 稲沢市
珈琲専門店 LICENSE(ライセンス)

- 弥富市
COFFEE シャロウ

三重県

- 四日市市
パーラー イトウ
喫茶 軽食 キャビン
喫茶 ロビン
*喫茶 サハリン[67]
喫茶 エリカ

- 鈴鹿市
珈琲 ロスカ

- 亀山市
お食事 喫茶 伊勢路
*パーラー 尚[68]

津市
喫茶 むつみ
喫茶 グリーン
喫茶 サンモリッツ

伊勢市
和洋食 喫茶 若草堂

尾鷲市
純喫茶 磯
COFFEE 梓

滋賀県

彦根市
喫茶 パーラー 風月
喫茶 ベニヤ

東近江市
コーヒーショップ ムッシュ

近江八幡市
珈琲 ライフ

湖南市
*COFFEE サンコー[69]

京都府

京都市
喫茶 翡翠
ランチとコーヒーの店 かも
コーヒーの店 シャモニー
ぎおん石 祇園店 喫茶室
六曜社 珈琲店
喫茶 ソワレ
喫茶 琥珀
喫茶 & 軽食 ムーン
*喫茶 ブルボン[70]
純喫茶 リリー

長岡京市
喫茶・軽食 フルール

奈良県

奈良市
*喫茶と軽食 佐保[71]

北葛城郡
*喫茶と軽食 ゴールド[72]

大和高田市
COFFEE SHOP 西岡
珈琲 グランプリ

橿原市
喫茶 アムール

和歌山県

和歌山市

*パーラー ファッション[73]
喫茶 ソル

海南市
お食事 喫茶 一福

有田郡
コーヒー てまり
洋酒喫茶 御苑

日高郡
旅館 & 喫茶 リングスリー

御坊市
*喫茶 軽食 サンフィールド[74]
喫茶 バー パレス

田辺市
喫茶・軽食 フルート
COFFEE チャンピオン

新宮市
喫茶 & カレーの店 ドン
カフェ プチレスト Setsu(せつ)

東牟婁郡
*喫茶 軽食 セブン[75]
純喫茶 亜珈里
喫茶 軽食 ユータウン

大阪府

大阪市
*喫茶 nest(ネスト)[76]
喫茶 ダイヤモンド
純喫茶 ジュン
喫茶 パーラー ドレミ
純喫茶 プラザー
Tea Room スワン
*喫茶 アリア[77]
喫茶 ロア
*コーヒーハウス 田園[78]
Tea room マヅラ
King of Kings
コーヒーショップ ローザ
純喫茶 アメリカン
純喫茶 スワン
COFFEE SHOP マル屋
喫茶 タンポポ
*喫茶 グリル 幸の屋[79]
コーヒーハウス マック
喫茶 誠
喫茶 香
喫茶 むらかみ
喫茶 マミー
cafe terrace 壱番館
喫茶 シャトー
喫茶 みさ
*喫茶・軽食 白泉堂[80]

泉南郡
喫茶 ロータリー

兵庫県

神戸市
純喫茶 ローズ
*喫茶 & 軽食 ニューセブン[85]
喫茶 ホワイト
喫茶 白鳥
喫茶・軽食 カレント
COFFEE & TEA マルナカ
喫茶 ベン
喫茶・軽食 チュール
*喫茶 スワン[86]
茶房 小町
coffee shop 光線
喫茶 ベニス
TEA ROOM エデン
喫茶 凡
*TEA ROOM アミカ[83]
喫茶 ぱるふぁん
*COFFEE SNACK セリナ[84]

三木市
喫茶 ボン

明石市
Tea Room ヤマト

加古川市
*喫茶 だんだん[81]
コーヒー & レストラン エデン
喫茶 オアシス

姫路市
回転展望台 喫茶 手柄ポート
*喫茶 Gセブン[82]
喫茶 タカタ

養父市
喫茶・お食事 サフラン

鳥取県

倉吉市
珈琲 ドルミ
COFFEE ROOM 亜留(アル)
*純喫茶 チェリー[87]

米子市
喫茶 エルボン

岡山県

津山市
純喫茶 ティファニー

瀬戸内市
食事と喫茶 ループル

岡山市
珈琲専門店 岡山壱番館
珈琲 モカ
*喫茶 軽食 キャッスル[88]
B三共

倉敷市
軽食 喫茶 ミッシェル

島根県

邑智郡
*コーヒー & カレー K[89]

出雲市
*軽食喫茶 ラブラブ[90]
喫茶・お食事 矢田

浜田市
日東紅茶ティーパーラー

広島県

福山市
純喫茶 月光

呉市
純喫茶 ぶらじる

広島市
喫茶 エイト
*COFFEE & SNACK 留園(るえん)[91]
スナック喫茶 ホーク

山口県

周南市
喫茶・食事 ポパイ

山口市
長沢ガーデン 食堂・喫茶

防府市
*純喫茶 エトワル[92]

宇部市
喫茶 凡

香川県

東かがわ市
自家焙煎珈琲の店 ダンケ
喫茶 ステーション
TEA SPOT 光琳

さぬき市
大川オアシス

高松市

喫茶　城の目
コーヒールーム　ミニ
*純喫茶　ニューアスカ[93]

- 丸亀市
喫茶　軽食　河鹿

徳 島 県

- 徳島市
*純喫茶　ブラジリア[94]

愛 媛 県

- 今治市
純喫茶　不二家
スナック　洋酒・喫茶　碧
空

- 松山市
珈琲館　乃亜

- 八幡浜市
COFFEE & LOUNGE　そ
の
*パーラー　モンブラン[95]

- 宇和島市
純喫茶　フレール

- 所在地非公開
純喫茶　真珠

高 知 県

- 安芸市
喫茶　田園

- 香南市
TEA ROOM　アミー
喫茶　ドン

- 高知市
喫茶・お食事　マホロバ
COFFEE　ラテン

- 高岡郡
*レストラン & 喫茶　コスモ
ス[96]

福 岡 県

- 北九州市
カレー & コーヒーショッ
プ　ひぐち

- 福岡市
Coffee & Restaurant　プ
ルマーシャン
一杯立てコーヒー　ベニス
*喫茶　ロンリン[97]

佐 賀 県

- 佐賀市
COFFEE こんぱる本店

*コーヒーの店　モカ[98]

長 崎 県

- 長崎市
*珈琲　冨士[99]

大 分 県

- 別府市
にしむら珈琲店
COFFEE & TEA　花時計

- 佐伯市
*喫茶　いさりび[100]

熊 本 県

- 熊本市
喫茶　ミミ
*純喫茶　ラフタイム[101]

- 水俣市
COFFEE HOUSE　アマン
ド

宮 崎 県

- 都城市
*喫茶 & 軽食　シグナル
[102]

鹿 児 島 県

- 薩摩川内市
軽食 & 喫茶　アイドル

- 鹿児島市
軽食　喫茶　シャローム
*cafe' de MARIANNE(マリ
アンヌ)[103]

沖 縄 県

- 那覇市
珈琲屋　茶暮里(さぼうる)
珈琲茶館　インシャラー
*スナック　喫茶　スワン
[104]
喫茶　Rose Room(ローズ
ルーム)

昭和喫茶
47都道府県
探訪MAP

写真で紹介の104軒

[2012.6 - 2022.11]

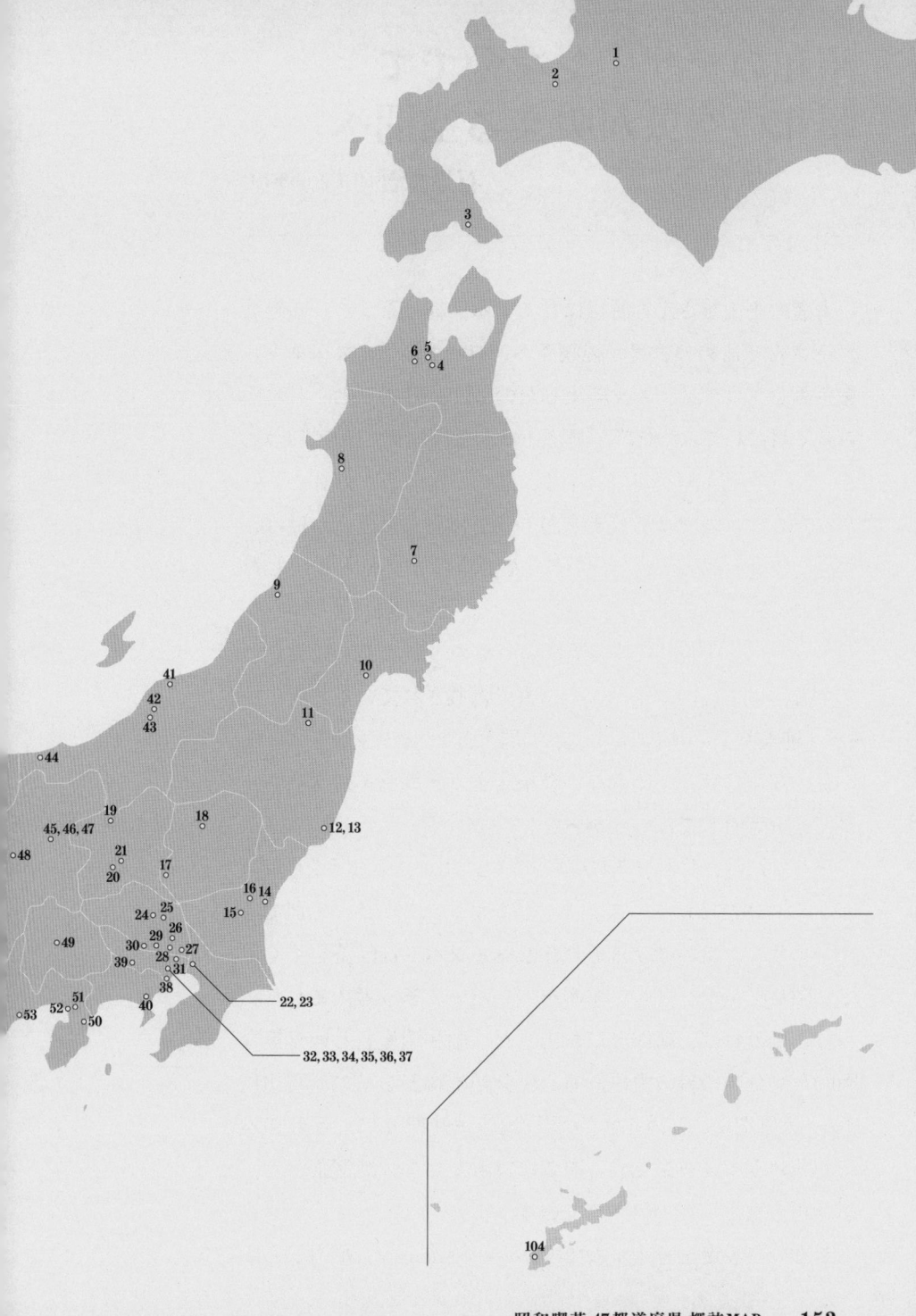

昭和のデザインを愛でて
昭和の空気が吸える空間へ

石黒謙吾（著述家・編集者）

　著者の平山雄さんも懇意にしている、純喫茶ラバーの難波里奈さん2冊めの著書『純喫茶へ、1000軒』（アスペクト）を企画しプロデュース＆編集したのは2015年のこと。それから8年目にしてふたたび、「喫茶」の本を作らせて頂きました。

　平山さんの前作『昭和遺産へ、巡礼1703景』が好評という流れからの企画ではありますが、刊行に至ったきっかけは、2022年初夏にふっと脳裏に浮かんで本書のタイトルにした「昭和喫茶」というネーミングでした。

　メディアや書籍等でよく言われていた「純喫茶」は言葉として確立はしていたものの、本書で掲載されているお店に多い、「純喫茶」と呼ぶには一般的認識での「オシャレ」さはないし、なんの飾りっ気もない喫茶店をカテゴライズするキーワードは定着してはいなかった。

　だとしたら、なんであればちょっと"引いてしまう"ぐらい（⁉）の古さだったり、スナックとも食堂とも明確に区別できないような、街場にひっそり佇むベッタベタな喫茶をくくって「昭和喫茶」と打ち出す本を残したい。そう考えました。

　言ってみれば、前作で打ち出した「昭和遺産」という集合図的な大分類の輪の中にある、中分類の輪としての「昭和喫茶」。大雑把にまとめると、「昭和遺産＋純喫茶÷2＝昭和喫茶」というイメージです。そこにはもちろん「純喫茶」も、小分類の輪として内包されています。

　こういう設定を考えたのですが、企画決定後、平山さんに

はそこまで詳しい話はせずにお店のセレクトをお任せ。そして、リストアップされた100軒以上の写真を見て、以心伝心というか、平山さんの嗜好が僕自身のそれとぴったりハマっていたことが面白すぎて、1人で笑ってさえいました。

　送られてきた写真をパソコン画面で開くたびに、おおー、と声が出ます。どれもこれも訪れたことがない空間なのに、まるで記憶という押し入れの隅っこに張り付いていたように感じるのです。なぜそう思えるのでしょう？

　その答えは、61年間生きてきて自然にインプットされた膨大な数の昭和の情景＆喫茶の光景が、脳内で類型化され、いくつかのフォーマットとなって自分の記憶に埋め込まれているからということにしておきます。

　そして、本書を手に取ったみなさまならば僕と同じように、昭和や喫茶にまつわる、甘酸っぱかったりほろ苦かったりする思い出とセットになった情景のフォーマットが、心や脳の片隅にこびり付いているはずです。

　僕自身がそうやって刻み込まれてきた喫茶の記憶と、染み込んだ思い入れについては、『純喫茶へ、1000軒』でも書きましたが、やはり本書でも少し残しておこうと思います。

　金沢の高校を卒業後上京したのは昭和54年（1979年）春。インベーダーゲーム全盛、街にハマトラの女子大生が行き交っている頃。僕は、御茶ノ水駅前・駿河台上の「名曲珈琲 丘」

で働き始めました。地下2階から5階まであり2000人収容可能という、東洋一の規模と言われた巨大喫茶。今も残る御徒町「丘」とは経営者が兄弟ということで、内装は似ていましたが規模は数段上。木製の螺旋階段中心の吹き抜けに、3階から1階まで下がる巨大なシャンデリアが圧巻でした。

　いまや伝説となったその喫茶は、70年代フォークの名曲「学生街の喫茶店」（ガロ）のモデルになった店という記述も見かけますがそれは都市伝説ですね。なぜなら歌詞には「片隅で聴いていたボブ・ディラン」とあるけれど、クラシックしか流れていなかったのですから。

　そのお店が閉業する1983年秋までの3年半、名ばかりの芸大浪人生、事実上は専業となって、日々、白いワイシャツに黒のボウタイ、コックコートといういでたちで、珈琲を50杯単位で何度も落とし、ナポリタンをランチで100食とかミックスサンドを100人前とかパフェを一気に50個とか作るとか、とんでもない忙しさの中で必死にもがいて生きていました。当時は目の前のことで精一杯で考えてもみなかった、昭和喫茶の魅力に気づいたのはそれからずっとあとのことです。

　産みの母親の記憶がおぼろげな頃に両親が離婚したあと、父親と暮らしていたことで、保育園に迎えにきてもらった帰りなどに、喫茶好きの父に連れられて金沢市内の喫茶店にしょっちゅう行っていました。

小学校入学前に2番目の母親を父に紹介されたのは繁華街
にある広い喫茶店でした。3番目の母の時も12歳で同じ状
況、今度は住宅街の小さな喫茶店。人生の節目を迎えた場所
が昭和喫茶だったわけです。考えてみたら、昭和30年代終わ
りから喫茶店の空気に浸り、金沢から御茶ノ水、さらには学
生時代の高田馬場や中野、雑誌編集者時代の音羽や池袋、フ
リーとなってからの渋谷や下北沢と、私的でも仕事でも、い
つも傍らに昭和喫茶という魅惑のステージがありました。

　さて、本書はけっして実情報としてのガイドブックではあ
りません。みなさんの記憶を掘り起こし、夢想で昭和喫茶を
巡りゾクゾクできるドリームブックとでも言いましょうか。
　さまざまな昭和遺産の中でもシンボリックな存在である昭
和喫茶。どんどんと失くなっていくその貴重な姿が、平山さ
んのたゆまぬ記録と本書によって、ずっとずっと、日本人の、
いや世界じゅうの人々の心に残っていくことを願っています。
そして僕自身も、形に残すこと
ができた達成感に、いまとても
満ち足りてもいるのです。

　本書の刊行は昭和98年。昭和
100年まであと2年。僕たち昭
和好きの中では、永遠にその時
代は続いていきます。

紙の本で残しておきたかった
昭和喫茶の記録

　喫茶店を含めた「昭和遺産」を巡る僕の活動は、たんに好きでやっていることであり、二次的な目的があってやっているわけではありません。ですが、この時代に造られた建築物の素晴らしさを、少しでも多くの人に共感してもらいたいという思いはあります。

　古い建物を残そうという価値観は、国内でも京都の寺院をはじめ、鎌倉や川越など多くの地域に根付いていますが、いずれも歴史的建造物ばかりで、昭和中期から後期にかけての庶民的な建物などは、まったくと言っていいほど保存の対象になっていません。このままの状況では、50年後、100年後には、跡形もなく消え去っているでしょう。

　なので、この時代に作られた建築物を写真に収めるのは、少なからず意義のあることだと思っています。ですが、その写真を個人で所持していても世の中は変わりませんし、インターネット上に載せたところで、そのサイトが永遠に存在するという保証はありません。しかし紙の本は、この世がある限り、半永久的に残り続けるものです。今回、本書を通してこの時代の喫茶店の記録を後世に残せるのは、大変嬉しいことです。

　僕の処女作『昭和遺産へ、巡礼1703景』に続き、企画からプロデュース＆編集して頂いた、著述家・編集者の石黒謙吾さん、そして、出版社の代表・常松心平さんをはじめとする、「303BOOKS」のみなさまに、あらためて感謝いたします。

［協力］
平山裕子
純喫茶ヒッピー
大場雄一郎（OverLightShow）
しょーへい
satochibi
Risa Tanimoto

撮影／齋藤真理

［PROFILE］

平山 雄（ひらやま・ゆう）

1968年東京生まれ。ブログ「昭和スポット巡り」で、2012年から、ジャンルを問わず昭和が体感できるスポットをレポートしている。訪れて記録したスポットは2200カ所以上。特に思い入れのある昭和喫茶は、47都道府県で軽く1000軒以上を探訪（2012/6〜2022/11の記録では819軒）。住まいも、古い一軒家を買い取り、完全に昭和の家庭を再現して暮らしている。2021年刊の著書『昭和遺産へ、巡礼1703景』（303BOOKS）が各所で好評を得る。「できることなら昭和時代へ戻りたいのですが 戻ることはできないので、昭和の服に身を包み、国産旧車に乗り、和製ポップスでも聴きながら昭和の面影が残る場所を巡ります」

［STAFF］

写真・取材・文	平山 雄
企画・プロデュース・編集	石黒謙吾
デザイン	吉田考宏
校正	聚珍社
	303BOOKS－楠本和子、渡辺葉奈、玉井杏、笠原桃華
DTP	林太陽（303BOOKS）
写真レタッチ	土屋貴章（303BOOKS）、シナノ
制作	（有）ブルー・オレンジ・スタジアム

2023年3月14日　第1刷発行

昭和喫茶に魅せられて、819軒
47都道府県104のお店から情緒の記録

発行者	常松心平
発行所	303BOOKS
	〒261-8501
	千葉県千葉市美浜区中瀬1丁目3番地
	幕張テクノガーデンＢ棟11階
	tel. 043-321-8001　fax. 043-380-1190
	https://303books.jp/

印刷・製本　株式会社シナノ